1 MONTH OF
FREE
READING

at

www.ForgottenBooks.com

By purchasing this book you are
eligible for one month membership to
ForgottenBooks.com, giving you
unlimited access to our entire
collection of over 700,000 titles via
our web site and mobile apps.

To claim your free month visit:

www.forgottenbooks.com/free750416

ISBN 978-0-483-15360-8
PIBN 10750416

DES

UBLIUS VIRGILIUS MARO

WERKE

VON

JOHANN HEINRICH VOSS.

———

ZWEITER BAND.

DES

PUBLIUS VIRGILIUS MARO

WERKE

VON

JOHANN HEINRICH VOSS.

ZWEITER BAND.

ÄNEÏS I — VI.

DRITTE AUSGABE.

BRAUNSCHWEIG,

GEDRUCKT UND VERLEGT

VON FRIEDRICH VIEWEG.

MDCCCXXII.

ÄNEÏ

ERSTER G

INHALT.

Äneas, im fiebenten Jahre nach Troja's Zerftörung um
herirrend, wird auf der Fahrt von Sicilien nach Italien durc
einen Sturm, den Juno' durch Äolus erregte, mit fieben Schiffe
aus der zerftreuten Flotte nach Libyen verfchlagen. Jupit
tröftet die Venus durch des Sohns Schickfale, und fendet de
Merkurius, ihm 'die neu angefiedelten Karthager zu gewinne
Dem fpähenden Äneas begegnet die Mutter als Jägerin, un
führt ihn, in eine Wolke gehüllt, nach Karthago: wo er G
fandte von den verlorenen Schiffen, und freundliche Aufnahm
bei der Königin Dido findet. Statt des gerufenen Askani
kömmt Cupido, durch welchen Dido am Gaftmahle für de
Äneas entbrennt,- und die Gefchichte feiner Irren verlangt.

affen ertönt mein Gefang, und den Mann, der
    vom Troergefild' einſt
, durch Schickſal verbannt, gen Italia, und an
    Lavinums
ɜnden Strand.   Viel hiefs ihn in Land' umirren
    und Meerflut
rgewalt, weil daurte der Groll der erbitterten
    Juno;
auch trug er im Kampf, bis die Stadt er gründet', und Troja's   5
r in Latium führte: woher der Latiner Gefchlecht
    ward,
albaniſche Väter, und du, hochthürmende
    Roma.
Muſe, des Grolls Urſachen verkünde mir, welches Gebotes
ʁung die Königin reizte, dafs, ſo viel kreiſendes
    Unheil,
en frömmeſten Mann, ſo viel zu erdulden der
    Mühſal,   10

Drängte mit Zwang!　So grofs glüht himmlifchen
　　　　　Seelen der Zorn auf?

　　Uralt blühte die Stadt, die Tyrier bauten, Kar-
　　　　　thago,

Gegen　das　Italerland　fernhin,　und　gegen　des
　　　　　Tibris

Mündungen, reich an Gewalt, und zu Kriegsanftren-
　　　　　gungen trozig;

15 Die, wie man fagt, fich Juno vor allen Landen des
　　　　　Erdreichs,

　　Selbft　vor　Samos　erkohr.　Hier　ruhete　jener　die
　　　　　Rüftung,

.Hier das Gefpann; dafs hier Obherfchaft throne den
　　　　　Völkern,

Werd' es vom Schickfal vergönnt, fchon jezo ftrebt
　　　　　fie und hegt fie.

Aber ein fernes Gefchlecht, aus troifchem Blute ge-
　　　　　leitet, ·

20 Hörete fie, werd' einft umkehren die tyrifchen Burg-
　　　　　höhn;

　　Dorther ftammendes Volk, weitherfchend, und ftolz
　　　　　der Bekriegung,

Komme zu Libya's Sturz: fo roll' es die Spindel
　　　　　der Parcen.

Deffen beforgt war Juno; zugleich des vorigen
　　　　　Krieges

Dachte fie, welchen vor Troja zur Gunft fie geführet
　　　　　den Grajern.

25 Noch nicht waren dem Geifte des Zorns Urfachen
　　　　　entfallen,

　　Und der erbitterte Schmerz; tief bleibt in der Seele
　　　　　bewahret

Paris richtender Spruch, und die Schmach der belei-
digten Schönheit,

Samt dem verhafsten Gefchlecht, und wozu Gany-
medes geraubt fei.

Durch dies alles entbrannt, warf über die Flut fie
die Troer,

Was vor der Danaerwut nachblieb und dem herben
Achilles,   30

Dafs fie von Latium ferne fie hielt'; und viele der
Jahre

Irrten, vom Schickfal gejagt, fie umher durch alle
Gewäffer.

So mühfeliges Werk war des römifchen Volkes Er-
richtung.

Kaum zu der Höhe des Meers vom Geficht des
fikulifchen Landes

Segelten froh fie dahin, mit dem Erz aufwühlend
den Salzfchaum;   35

Als Saturnia fo, mit unheilbarer Wunde des Herzens,

Bei fich fprach: Ich follte befiegt abftehen vom
Vorfaz,

Und von Italia nicht wegdrängen den teukrifchen
König?

Ha, mir verbeut das Gefchick! Hat Pallas mit Glut
der Argiver

Flotte zu tilgen vermocht, und fie felbft in die Woge
zu fenken,   40

Blofs weil Ajax gefrevelt, der rafende Sohn des
Oïleus?

Selbft, aus Gewölk herfchwingend des Donnerers
reifsende Flamme,

Schlug fie die Schiff' aus einander, und regt' im
        Orkane die Wog' auf;
Ihn, der hell ,ausdampft' aus durchfchmettertem Bu-
        fen den Gluthauch,
45 Hub fie im Wirbel empor, und fpiefst' an ein
        fcharfes Geftein ihn.
Aber ich, die einher der Unfterblichen Königin
        wandelt,
Jupiters Schwefter und Weib, mit dem einzigen
        Volke fo endlos
Führ' ich den Streit! Wird einer hinfort anbeten
        der Juno
Macht? wird einer mit Flehn dem Altar auflegen
        Verehrung?
50   Als in entflammeter Bruft Saturnia, folches ge-
        wälzet,
Jezt in der Stürm' Heimat, die gefchaart durchrafet
        der Aufter,
Kam gen·Äolia fie: wo in räumiger Höhle der
        König
Äolus kämpfende Wind' und, laut aufrührifche
        Wetter
Zähmt durch ftrengen Befehl, und in Band' ein-
        fchliefst und Gefängnis.
55 Jen', unmutiges Sinns, umdrohn mit hohlem Ge-
        murmel
Laut ihr Felfenverfchlofs. Hoch fizt auf der Zacke
        bezeptert
Äolus, fänftigt den Geift, und ftillt des Zornes Em-
        pörung.
Thät' er es nicht; Meerwogen und Land' und Tiefen
        des Himmels

Raften fie traun! im Orkane dahin, und durchfläub-
    ten die Lüfte.
Doch der allmächtige Vater verbarg fie in dunkeler
    Felskluft,   60
Deffen beforgt; und den Wall hochthürmender Berge
    darüber
Legt' er, und gab den König, der bald, nach ge-
    meffenem Bündnis,
Bändigen könnte den Lauf, und bald nach Geheifs
    fie entzügeln.
Diefem nahete jezt mit flehenden Worten die
    Göttin:

    Äolus, dir ja gewährte der Götter und Sterb-
    lichen Vater,   65
Einzufchläfen die Flut, und wieder im Sturm zu
    erheben:
Schau, ein mir feindliches Volk durchwallt den
    tyrrhenifchen Spiegel,
Ilion trägts in Italia hin, und befiegte Pena-
    ten.
Rege die Winde mit Macht, und verfenke die Schiff'
    in den Strudel;
Oder zerftreu fie umher, und mit Leichnamen decke
    den Abgrund!   70
Vierzehn hab' ich der Nymfen von auserlefener
    Schönheit.
Welche davon vorraget an Lieblichkeit, Deïo-
    péa
Sei dir in Ehe gefellt, als eigene Lagerge-
    noffin;
Dafs für folches Verdienft mit dir fie die Jahre
    der Zukunft

75 Leb', und zum Vater dich mache von lieblichen
Söhnen und Töchtern.

Äolus alſo darauf: Dir, Königin, ſei, was du
wünſcheſt,

Auszuſpähn nur Geſchäft; mir ziemt, den Befehl zu
empfangen.

Du haſt dieſe-Gewalt, du Jupiters Huld und den
Zepter

Mir ja verſchaft; du gönnſt, an dem Schmaus zu
liegen mit Göttern;

80 Durch dich ward ich der Stürm' und der Witterungen gewaltig.

Dieſes geſagt; zum hohlen Gebirg' hinwendend
die Spize,

Schlug er die Seit'; und die Wind' in tummelndem
Schwarm, wo ſich Ausgang

Öfnete, ſtürzen hervor, und durchwehn die Lande
mit Wirbeln.

Raſch umziehn ſie das Meer, und ganz aus dem
unterſten Grund' auf

85 Wühlen es Eurus und Notus zugleich, und, von
Regen umſchauert,

Afrikus; daſs hochher das Gewog' anrollt zu den
Ufern.

Plözlich erſchallt der Männer Geſchrei, und der
Taue Geraſſel;

Und die umhüllende Wolk' entreiſset den Tag und
den Himmel

Schnell aus der Teukrer Geſicht; auf der Flut liegt
düſteres Nachtgraun.

90 Ringsum donnert der Pol, und von Leuchtungen
zucket der Äther;

Und andrängenden Tod verkündiget alles den Män-
    nern.

    Schleunig find dem Äneas gelöft vom Frofte die
        Glieder;

Und er erfeufzt, und beide die Händ' aufftreckend
    zur Sternbahn,

Hebet er alfo den Ruf: O dreimal felig und vier-
    mal,

Denen vor Troja's Mauren im Angefichte der
    Väter   95

Nahte das Ziel! Hochherzigfter du des Danaer-
    volkes,

Dafs ich, o Tydeus Sohn, nicht auch in den ilifchen
    Feldern

Sinken mocht', und den Geift durch deine Rechte
    verhauchen!

Wo dem Gefchofs des Achilles erlag der trozige
    Hektor,

Wo der grofse Sarpedon! wo Simois wild in dem
    Strudel'   100

Helm' und Schilde der Männer und tapfere Leich-
    name hinrollt!

    Während er fo wehklaget, da fauft ihm ent-
        gegen der Nordfturm,

Schlägt ihm das Segel zurück, und die Flut zu den
    Sternen erhebt er.

Ruder an Ruder zerkracht; vorn dreht fich das
    Schif, und den Wogen

Giebt es die Seit'; und es ftürzt das gebrochene
    Waffergebirg' ein.   105

Dort nun fchweben fie hoch auf der Flut; dort
    finkenden öfnet

Tief die zerlechzende Woge das Land, und es fiedet
     der Schlamm auf.

Drei dort raft und entfchwingt auf verborgene Felfen
     der Südwind,

Felfen im Mittel des Meers, die ein Rif der Sege-
     ler nennet,

110 Schrecklich am Saum auffarrend der Flut. Drei
     zwänget der Oftwind

Zur feichtragenden Bank, ein erbarmungswürdi-
     ger Anblick,

Malmt fie hinein in die Watten, und häuft umhü-
     gelnde Sandhöhn.

Eines, das Lycierfreund' hertrug und den treuen
     Orontes,

Fafst ihm felbft vor den Augen ein hoch anraufchen-
     der Meerfchwall,

115 Schlägt auf das Steuer mit Macht, und entfchüttelt
     im Schwung den Piloten

Häuptlings hinab vom Verdeck; doch es reifst drei-
     mal in die Runde

Wirbelnd die Woge das Schif, und verfchlingts in
     den ftrudelnden Abgrund.

Rings nun fchwimmen umher fparfam in unendli-
     cher Meerflut

Waffen des Kriegs und Gebälk' und troifcher Pomp
     durch die Brandung.

120 Schon des Ilioneus Schif, das gewaltige, fchon
     des Achates,

Auch das den Abas geführt, und geführt den bejahr-
     ten Aletes,

Bändigt der Sturm; und die Fugen gelöft des ge-
     wölbeten Rumpfes,

Laſſen ſie feindlichen Guſs eingehn durch lechzende
Spalten.

Unterdeſs, wie empört machtvoll aufbrauſe die
Meerflut,

Und den entkerkerten Sturm, empfand Neptunus,
und tiefauf   125

Gärende Sümpfe des Grunds, mit heftigem Eifer;
hervor dann

Schaut' er im Meer, und erhub ſein friedſames
Haupt aus den Waſſern.

Ringsum ſieht er die Flott' in den Wogen zerſtreut
dem Äneas,

Und von der Flut die Troer umtobt und dem
Sturze des Himmels.

Nicht auch verkannte der Bruder den Zorn und die
Ränke der Juno.   130

Zefyrus rief er und Eurus heran; drauf redet er
alſo:

So weit hat euch geführt die Vermeſſenheit
eures Geſchlechtes?

Himmel und Erde ſogar, ohn' Auftrag mein, des
Beherſchers,

Wagt ihr zu miſchen, o Wind', und ſolchen Tumult
zu erheben?

Wollt' ich nur .. ! Doch das Getöſe der Flut zu be-
zähmen, iſt beſſer.   135

Traum, nicht büſst ihr hinfort mit ähnlicher Strafe
den Frevel!

Eilt mir in ſchleuniger Flucht, und ſagt dies euerem
König:

Nicht ihm gab die Verwaltung des Meers und den
furchtbaren Dreizack,

Sondern mir felbft das Gefchick.　Er herfcht in
　　　　　　dem wuftigen Felsraum,
140 Den ihr, Eurus, bewohnt; dort üb' im Palafte den
　　　　　　Hochmut
　　Äolus, und in der Winde verfchloffenem Kerker ge-
　　　　　　biet' er!
　　　Sprachs; und fchnell, wie er fprach, war die
　　　　　　fchwellende Woge gefänftigt,
　　War das Gewühl der Wolken verfcheucht, und die
　　　　　　Sonne gekläret.
　　Auch Cymóthoe drängt, und geftemmt auch Triton,
　　　　　　die Schiffe
145 Ab von dem fcharfen Geftein.　Selbft lichtet der
　　　　　　Gott mit dem Dreizack,
　　Öfnet durch Sand' und Watten die Bahn, und ftillet
　　　　　　die Meerflut;
　　Und auf fchwebendem Wagen durchrollt er die
　　　　　　wallende Fläche.
　　Wie wenn in grofser Verfammlung des Volks fich
　　　　　　manchmal ein Aufruhr
　　Hebt, und in Grimm aufrafet der namenlofere
　　　　　　Pöbel;
150 Schon find Bränd' und Steine gefchnellt;　Wut
　　　　　　bietet die Waffen;
　　Wenn dann etwa ein Mann, durch Verdienft ehr-
　　　　　　würdig und Tugend,
　　Vortrit, fchweigen fie all', und ftehn mit gefpanne-
　　　　　　ten Ohren;
　　Jener bezähmt durch Worte den Geift, und heilet
　　　　　　den Mismut:
　　Alfo fank das Getöfe der Brandungen, als, in die
　　　　　　Meerflut

ld vorfchauend, der Vater die Roff' am geläuterten Himmel   155

ıkte zur Fahrt, und im Flug' auf entzügeltem
Wagen einherglitt.

Doch des Äneas Schaar, die ermüdete, ftrebet
den nächften

ınd zu erreichen im Lauf, und zur Libyergrenze
gelangt fie.

it ift zurückgebogen ein Ort, den zum Hafen
ein Eiland

rch vorliegende Seiten erfchaft: wo gebrochen
des Meeres   160

ıge zerfchellt, ūnd hinein in die krümmenden
Bufen fich fpaltet.

ks dort drohen und rechts unförmliche Klippen
und zwiefach

rrende Felfen empor, woran weit unter der
Scheitel

ht die geficherte See; auch die Anficht fchaudern-
der Wälder

ɪt, und fchwarzes Gehölz, hochher mit graufer
Befchattung.   165

d' entgegen gewandt ift eine gewölbete Felskluft,

n füfsquellende Flut, und Bänk' aus lebendem
Steine;

nfen zur Wohnung geweiht. Dort hält die ermüdeten Schiffe

kein Band, noch hemmt fie mit hakigem Biffe
der Anker.

rthin kommt Äneas, der fieben Schiff' aus der
ganzen   170

Menge zusammen gesucht; mit herzlicher Liebe des
.Landes

Steigen die Troer hervor, das ersehnete Ufer ge-
winnend,

Lagern dann am Gestade von Salz hinschmachtende
Glieder.

Jezo dem Kiesel zuerst entschlug den Funken
Achates,

175 Fing in dorrende Blätter die Glut, auch trockene
Nahrung

Fügt' er umher, und schwang in dem glimmenden
Reisig die Flamme.

Ceres Geschenk, von der Woge verlezt, und Geräthe
der Ceres

Langen die Mattgequälten hervor; den geretteten
Vorrath

Rösten sie schnell an den Flammen, und drehn die
zermalmenden Steine.

180 Aber Äneas indefs erklimmt den Felsen, und
ringsum

Sendet er spähenden Blick in das Meer hin, ob er
wo Antheus

Schaue geworfen vom Sturm, und Phrygierbarken,
ob Capys,

Oder die ragende Wehr am Hinterverdeck des
Caïcus.

Nirgend erscheint vor den Augen ein Schif; drei
irrende Hirsche

185 Nimt er wahr am Gestad', auch folgt die sämtliche
Rudel

Hinterwärts, und durchweidet in langem Zuge die
Thäler.

Hier fich ftellend, ergreift er die fliegenden Pfeil'
　　　und den Bogen

Schnell mit der Hand; ihm trug das Gefchofs fein
　　　treuer Achates.

Selbft die Führer zuerft, die hoch mit geäfteten
　　　Häuptern

Prangeten, ftreckt er dahin; dann niederes Volk;
　　　und verwirrend　　　　　　　　　　　　　190

Treibt er umher mit Gefchoffen den Schwarm durch
　　　bufchiges Dickicht.

Und nicht ruht er zuvor, bis er fieben gewaltige
　　　Leiber

Siegreich warf in den Staub, und die Zahl gleich
　　　machte den Schiffen;

Dann zum Hafen gekehrt, vertheilt er fie allen
　　　Genoffen.

Weine darauf, in Krüge gefüllt von dem guten
　　　Aceftes　　　　　　　　　　　　　　　195

Am trinakrifchen Strand', und gefchenkt vom Helden
　　　zum Abfchied,

Spendet er aus, und tröftet die forgenden Herzen
　　　mit Zufpruch:

　　Freunde, wir find ja bisher nicht ganz unkun-
　　　dig des Leidens!

O die ihr Schwereres trugt, auch dies wird enden
　　　die Gottheit!

Selbft der fcylläifchen Wut feid ihr, und der Würge-
　　　rin graunvoll　　　　　　　　　　　　200

Hallenden Klippen genaht; ihr habt die cyclopifchen
　　　Felfen

Kennen gelernt. Ruft wieder den Mut; und den
　　　zagenden Kummer

2 *

Bändiget! Künftig vielleicht ift defs auch zu denken
        behaglich.

Durch vielfältige Noth, durch manche Gefahr der
        Entfcheidung,

205 Streben wir Latium zu, wo ruhige Size das
        Schickfal

Darbeut. Dort foll wieder das Reich aufblühen von
        Troja.

Ausgeharrt, und euch felbft glückfeligen Tagen
        bewahret!

Alfo redet er Held; und von heftigen Sorgen
        geängftigt,

Bildet er Hofnung im Blick, tief zwängt er den
        Gram in der Seele.

210 Jene befchicken die Beute der Jagd, und ordnen den
        Feftfchmaus.

Einige ziehn von den Rippen die Haut, und ent-
        blöfsen die Glieder;

Andre zerftücken das Fleifch, und das zitternde
        fchwebt an den Spiefsen:

Ehernen Zeug ftellt mancher am Strand', und pfleget
        des Feuers.

Jezo erquickt die Speife das Herz; und im Grafe
        gelagert,

215 Werden des altenden Weines fie fatt, und des
        nährenden Wildes.

Als fie mit Koft den Hunger gezähmt, und entfernet
        die Tafeln;

Werden bedaurt in langem Gefpräch die verlorenen
        Freunde:

Schwankend in Furcht und Hofnung erwägt
        ob fie noch leben,

Ob fie dem Ende genaht, und nicht mehr hören den
    Zuruf.

Aber es klagt Äneas am zärtlichsten, rafcher
    Orontes,   220

Dein und des Ámykus Loos; auch des Lykus grau-
    fames Schickfal

Weinet er, Gyas den ftarken zugleich, und den
    ftarken Kloanthus.

Schon war geendet die Klag', als Jupiter hoch
    in dem Äther

Auf das befegelte Meer abfchaut', und die liegenden
    Lande,

Auf die Geftad', und die Völker umher, und vom
    Gipfel des Himmels,   225

So wie er ftand, hinfenkte zu Libya's Reichen die
    Blicke.

Weil fein waltendes Herz von folcherlei Sorgen
    gedrängt war,

Nahte betrübt, und genezt die glänzenden Augen
    von Wehmut,

Venus, und fprach: O der du, was Sterbliche
    fchaffen und Götter,

Lenkft durch ewige Macht, und mit donnerndem
    Strale fie fchreckeft!   230

Was hat mein Äneas an dir fo Grofses zu
    freveln,

Was die Troer vermocht: dafs, nach fó viel Wehe,
    den Duldern

Ganz noch der Erd' Umkreis, Italia's wegen, gefperrt
    wird?

Dorther würden Romaner dereinft, mit den rollen-
    den Jahren,

235 Dorther Führer entſtehn, aus erneuetem Blute des
        Teukrus,

Welche mit Allherſchaft durch Meer und Lande
        geböten,

Sagteſt du. Welch ein Entſchluſs hat dich, o Erzeu-
        ger, gewendet?

Hieraus, wann mich betrübte der Fall der verödeten
        Troja,

Schöpft' ich Troſt, abwägend das Schickſal gegen das
        Schickſal.

240 Jezo verfolgt die ſo lange mit Unglück ringenden
        Männer

Stets Unglück. Wo ſtellſt du ein Ziel, Weltherſcher,
        dem Elend?

Konnte ja doch Anténor, dem Schwarm der Achiver
        entronnen,

Tief zur illyriſchen Bucht und dem innerſten Reich
        der Liburner

Eingéhn ohne Gefahr, und umlenken den Quell des
        Timavus:

245 Wo er, mit dumpfem Getöſe des Bergs, neun
        Schlünden entrollend,

Geht zu brechen das Meer, und den Schwall an die
        Felder emporbrauſt.

Dennoch gründete jener Pataviums Stadt und der
        Teukrer

Wohnungen dort, gab Namen dem Volk, und hef-
        tete Troja's

Rüſtungen; Friede nunmehr und behagliche Ruhe
        beglückt ihn.

250 Wir, dein eignes Geſchlecht, die zur himmliſchen
        Burg du erhöhn willſt,

Werden der Schiff' (o entfezlich!) beraubt, und dem
Zorne der Einen

Blofs geftellt, und fo weit von den Italerlanden
entfernet.

Das ift der Frömmigkeit Lohn! fó kehrt uns wieder
die Herfchaft?

Ihr nun lächelte mild der Menfchen und Ewigen Vater,

So wie fein Antliz Himmel und Witterungen er-
heitert,   255

Und fanft naht' er der Tochter zum Kufs; dann redet
er alfo:

Hemme die Furcht, Cytherea; dir bleibt der
Deinigen Schickfal

Stets unverrückt; fchaun wirft du die Städt und
Laviniums Mauern,

Die ich verhiefs, und erheben den grofsgefinnten
Äneas

Hoch zu dem Äthergeftirn; nicht hat ein Entfehlufs
mich gewendet.   260

Er (denn ich kündige dirs, weil noch die Sorge dich
naget,

Und aus der Fern' auf roll' ich die dunkelen Gänge
des Schickfals)

Führt einft fchrecklichen Krieg in Italia, trozige
Völker

Schlägt er hinab, und ordnet Gefez und Mauren den
Männern:

Bis drei Sommer den König in Latium walten
gefehen,   265

Und dreimaliger Froft dem bezwungenen Rutuler
hinfloh.

Aber Askanius drauf, den jezt die Benennung
    Iulus

Zunamt, Ilus vordem, als machtvoll Ilios
    herſchte,

Wird durch dreiſsig Kreiſe der monatrollenden
    Jahre

270 Weit das Gebot ausdehnen, und weg vom Size
    Lavinums

Heben das Reich zur langen, mit Kraft befeſtigten
    Alba.

Drei Jahrhunderte nun wird dort verwaltet die
    Herſchaft

Vom hektoriſchen Stamm; bis die Prieſterin, Tochter
    des Königs,

Ilia, ſchwanger von Mars, der Zwillingsgeburt ſich
    entlaſtet.

275 Froh mit gelblicher Hülle der ſäugenden Wölfin ſich
    deckend,

Wird nun Romulus erben das Volk, und mavortiſche
    Mauern

Aufbaun, und die Romaner nach eigenem Namen
    benennen.

Deren Gewalt ſoll weder ein Ziel mir engen noch
    Zeitraum;

Endlos daure das Reich, das ich gab. Ja die ei-
    fernde Juno,

280 Die nun Meer und Lande mit Furcht und den Him-
    mel beängſtigt,

Wird zum Beſſeren wenden das Herz, und begünſti-
    gen gleich mir

Roma's Volk, die Gebieter der Welt, in umwallen-
    der Toga.

Alſo gefällts. Einſt kommt mit den ſchlüpfenden
 Zeiten das Alter,
Wann des Aſſarakus Haus der berühmten Mycen'
 und der Phthia
Knechtiſches Joch auflegt, und ſiegreich ſchaltet in
 Argos.   285
Dann aus ſchönem Geſchlecht wird blühn der troja-
 niſche Cäſar,
Der zu den Sternen den Ruhm, zum Oceanus deh-
 net die Herſchaft:
Julius, alſo benamt vom edelen Ahnen
 Iulus.
Dieſen mit öſtlicher Beute Beladenen wirſt du ge-
 ſichert
Einſt im Himmel empfahn; dann rufen auch ihm die
 Gelübde.   290
Jezt wird, ruhend vom Streit, das rauhere Alter ſich
 mildern.
Veſta, die grauende Treu, und Remus vereint mit
 Quirinus,
Geben Geſez. Doch geſperrt mit Eiſen und zwän-
 genden Klammern
Stehn die gräſslichen Pforten des Kriegs; wild drin-
 nen auf Waffen
Sizet die frevelnde Wut, wo in hundert ehernen
 Feſſeln   295
Jen' auf den Rücken geſchnürt, graunvoll knirſcht
 blutiges Mundes.
 Jupiter ſprachs; und er ſendet den Sohn der
 Maja vom Himmel,
Daſs ſich öfnen die Land' und die Burg der neuen
 Karthago,

Gaſtlich dem teukriſchen Volk, und nicht, unkundig
des Schickſals,

300 Dido, die Grenze verwehr'. Er entfleugt durch die
luftigen Räume

Mit hinrudernder Schwing', und betrit ſchnell
Libya's Ufer.

Schon iſt beſtellt das Gebot, ſchon ſind ſanftmütig
der Pöner

Trozige Herzen dem Gott. Vor allen die Königin
heget

Ruhigen Sinn im Buſen und Freundlichkeit gegen
die Troer.

305   Aber der fromme Äneas erwägt gar vieles die
Nacht durch;

Jezt, wie das heilige Licht ſich erhob; ausgehend die
neuen

Gegenden auszuforſchen, an welche Geſtad' er ver-
ſtürmt ſei,

Wer ſie bewohn' (Einöde ja ſcheints), ob Menſchen,
ob Raubwild,

Dies zu erſpähn, und den Freunden genau zu erkun-
den, beſchleuſst er.

310 Als er die Flott' im Gewölbe der Hain', an gehöhleter Felswand,

Unter der Bäume Verſchloſs ríngsher und grauſer
Umſchattung,

Sicherte; wandelt er ſelbſt, nur allein von Achates
begleitet,

Zween Wurfſpeer' in der Hand, die breit vorſchim-
merten, ſchwenkend.

Noch in der Mitte des Walds begegnete jenem
die Mutter,

Jungfraun gleich an Tracht und Geſtalt, und gewaf-
        net wie Jungfraun, 315

Spartiſche; oder wie raſch Harpálica, Thracia's
        Heldin,

Spornet die Roſſ', und in Eile dem ſtürzenden He-
        brus zuvorrennt.

Denn nach der Jägerin Art, das bequeme Geſchoſs
        um die Schultern,

Ging ſie einher, darbietend das Haar dem zerſtreuen-
        den Winde,

Nackend das Knie, und im Knoten die flieſsenden
        Schöſse geſammelt. 320

Heda! rief ſie zuerſt, ſagt, Jünglinge, ob ihr viel-
        leicht hier

Meiner Geſpielinnen eine geſehn, die irrend umher-
        ging,

Schön mit dem Köcher geſchürzt und dem Balg des
        fleckigen Luchſes,

Oder die lautes Geſchreis nachrannte dem ſchäumen-
        den Eber.

    Venus ſprachs; und darauf gab Venus Spröſs-
        ling die Antwort: 325

Deiner Geſpielinnen keine vernahm ich oder er-
        ſah ich,

O, wie nennt dich mein Wort? Jungfrau! Nicht
        zeigt ja dein Antliz

Sterbliches, noch tönt menſchlich die Stimme dir:
        Göttin, o wahrlich!

Schweſter des Phöbus vielleicht, zum wenigſten eine
        der Nymfen!

Wer du auch biſt, ſei gnädig, und ſchaff' uns leich-
        ter die Arbeit; 330

Und, was doch für ein Himmel uns deckt, w‹
　　　　Ende der Welt uns

Schweifende birgt, fag’ an. Unkundig der Ort’ ‹
　　　　der Männer,

Irren wir um, die Wind und gefchwollene W
　　　　dahertrieb.

Dir am Altar foll häufig mein Arm hinftrecken
　　　　Opfer.

335　　Venus darauf: Nicht fchäz’ ich fo ·herlic
　　　　Ehre. mich würdig.

Ift doch, Köcher zu tragen, Gebrauch den tyrifc.
　　　　Jungfraun,

Und mit dem Purpurkothurne fich hoch die W
　　　　zu gürten.

Tyrier fchauft du, und Pönergebiet, und die S‹
　　　　des Agenor;

Doch finds Libyergrenzen, ein Volk unnahb‹
　　　　Kriegswut.

340 Dido waltet des Reichs, die, gefcheucht vom Bru‹
　　　　aus Tyros

Hieher floh. Lang ift die Beleidigung, lang ‹
　　　　Erzählung

Umfchweif; doch ich berühre die oberften Gipfel ‹
　　　　Thaten.

Ihr war einft Sychäus vermählt, an phönicifc‹
　　　　Äckern

Überreich, und der Armen in herzlicher Li‹
　　　　vereinigt:

345 Dem fie der Vater. zur Braut, die noch jungfräuli‹
　　　　Tochter,

Feftlich geweiht. Doch der Bruder Pygmalion ü‹
　　　　in Tyros

Obergewalt, ein Frevler von weit vorftrebender
            Bosheit.
Bald nun trennete Wut die Erbitterten. Auf den
            Sychäus
Zuckt am Altar der Entweiher, von Gier des Goldes
            geblendet,
Zu heimtückifchem Morde den Stahl, um die Liebe
            der Schwefter   350
Sorglos. Lange verhehlt' er die That; voll heucheln-
            der Arglift,
Teufcht' er ·der Liebenden Schmerz, und log ihr
            eitele Hofnung.
Aber im Schlummer erfchien · des unbegrabenen
            Gatten
Eigenes Bild; aufhebend in fchrecklicher Bläffe das
            Antliz,
Zog er den graufen Altar, und die Bruft vom Stahle
            durchfchmettert, ·   355
·Hell ans Licht; und den blinden Verrath des Haufes
            enthüllt' er.
Flucht zu befchleunigen räth er, und abzufcheiden
            der Heimat;
Und zur Hülfe der Fahrt eröfnet er altenden Reich-
            thum
·Unter der Erd', ein Gewicht unerkundetes Goldes
            und Silbers.
Dido, bewegt durch folches, bereitete Flucht und
            Genoffen.   360
Viele verfammelten fich aus wütendem Hafs des
            Tyrannen,
Viel' aus heftiger· Furcht. Was grad' an Schiffen be-
            reit war,

Raffen fie fchnell, und belaften mit Gold. Fort
    fchwimmen die Güter,

Welche Pygmalion giert, auf der Flut; rafch führet
    ein Weib an.

365 Als fie gekommen zum Ort, wo nun die gewaltigen
    : Mauern

Sehen du wirft, und die fteigende Burg der neuen
    Karthago;

Handelten jene den Grund, von' der That jezt Byrfa
    benamet,

So viel als zu umfpannen die Stierhaut ihnen ver-
    möchte.

Doch wer feid denn ihr? aus welcherlei Gegenden
    kommt ihr?

370 Wohin lenkt ihr den Weg? — Der Fragenden fagte
    dagegen

Seufzend der Held, und tief aus der Bruft aufziehend
    die Stimme:

    Göttin, o wollt' ich vom erften Beginn fortgehen
        zum End' hin,

Und du hörteft in Ruh die Erzählungen unferer
    Drangfal;

Eher wird betten den Tag nach verfchloffenem Him-
    mel der Abend.

375 Uns, von der grauenden Troja, wofern einft eueren
    Ohren

Troja's Namen erfcholl, durch entlegene Meere ge-
    führet,

Warf mit blinder Gewalt der Orkan an die libyfchen
    Ufer.

Ich bin Äneas der fromme; dem Feind' entrafte
    Penaten

' ich in Schiffen daher, vom Gerücht bis zum
    Äther genennet.

ι gen Italia ftreb' ich, zum Stamm, der von Ju-
    piter ausging.   380

ɪzig Schiffe betrat ich, und fuhr durch phrygi-
    fche Woge,

ɔnd dem Weg des Gefchicks, den die göttliche
    Mutter mir nachwies.

ɑ find fieben zerfchlagne von Sturm und Bran-
    dungen übrig.

t hier darbend und fremd, durchwander' ich
    Libya's Wildnis,

den Europa verftiefs und Afia! — Mehr zu be-
    jammern,   385

nicht Venus ihm Raum, und brach fo redend
    den Kummer:

Wer du auch bift, nicht glaub' ich, verhafst den
    himmlifchen Göttern

ɥft du belebende Luft, da der Tyrierftadt du
    genahet.

nur fort, und gleich zu der Königin Schwelle
    gewandert.

ɪerkehr der Genoffen, und glückliche Landung
    der Flotte,   390

ʼ ich dir, die zur Bucht einführte gewendeter
    Nordwind:

nicht Kunde der Vögel umfonft mir gezeiget die
    Eltern.

ue die zweimal fechs in dem Zug frohlockenden
    Schwäne,

den ätherifchen Höhen entftürzt, erft Jupiters
    Adler

395 Wirrt' in entnebelter Luft; num erdwärts fiehft du
             im Heerzug

Theils fie gefenkt, theils nahend auf fchon gefenkte
             herabfchaun.

So wie der Heimkehr jene fich freun mit raufchen-
             den Flügeln,

Wie fie im Schwarm umringten den Pol, und Ge-
             fange des Jubels;

So ift dir auch Flotte fowohl, als fämtliche
             Jugend,

400 Theils in dem Port, theils naht fie mit fchwellendem
             Segel der Mündung.

Gehe nur fort, und gelenkt, wie der Weg dich füh-
             ret, den Fufstritt.

     Sprachs, und wendete fich; da erglänzt' ihr
             rofiger Nacken;

Und ambrofifchen Locken entathmete füfs von der
             Scheitel

Göttlicher Duft; tief flofs das Gewand zu den Füfsen
             hinunter:

405 Und ganz Göttin erfchien in dem Gange fie. Als er
             die Mutter

Jezo erkannt, da verfolgt' er die Scheidende alfo mit
             Ausruf:

     Was doch dem Sohne fo oft, o dú auch Grau-
             fame, ftellft du

Teufchende Gaukelgeftalt? Warum nicht darf ich
             genaht dir

Hand einfügen in Hand, und Wahrheit hören und
             reden?

410   Alfo klaget er an, und lenket den Schritt zu
             den Mauern.

s aber verbarg die wandelnden Männer in
Dunkel,

fie ergofs ringsum dichthüllende Nebel, die
Göttin;

fie zu fchaun nicht einer, und nicht zu berüh-
ren vermöchte,

Verzug darböt', und die Abficht forfchte des
Kommens.

gen Pafos enteilt fie, erhabenes Ganges, und
fchauet   415.

ich den Siz, wo der Tempel ihr ragt; und mit
fabifchem Weihrauch

lert Altär' aufglühn, und frifche Bekränzungen
athmen.

Schleunig indefs gehn jene den Gang, wie fie
leitet der Fufspfad.

fchon fteigen den Hügel fie aufwärts, welcher
die Stadt hoch

ragt, und das Antliz der Burg anfchauet von
oben.   420

iend erblickt Äneas den Bau, einft ländliche
Hüttlein;

iend die Thor'; und den Lerm, und die langge-
pflafterten Strafsen.

r glühn vom Eifer des Werks: hier leiten fie
Mauern,

men die Burg, und wälzen hinan mit den Händen die Quader;

erfehn fie zum Haufe den Ort; und höhlen den
Umfang,   425

len dem Recht und den Obern den Raum, und
dem heiligen Rathe.

Andere wählen den Hafen sich aus; noch andere legen

Tief dem Theater den Grund, auch ungeheuere Seulen

Haun sie aus Felsen hervor, der werdenden Bühne zum Festschmuck.

430 So wie Bienen, wann sommert der Lenz, durch blumige Felder

Ämsigkeit unter der Sonn' umtreibt; die pflegen des Volkes

Aufgewachsne Brut; dort andere häufen des Honigs

Klarsten Seim, und dehnen mit lauterem Nektar die Speicher;

Oder empfahn die Lasten der kommenden; oder in Heerschaar

435 Wehren sie ab die Dronen, das träge Vieh, von den Krippen;

Rastlos glüht das Gewerb', und Thymian duftet der Honig.

O glückseliges Volk, dem schon sich erheben die Mauern!

Sagt Äneas, und schaut zu den luftigen Zinnen der Stadt auf.

Mitten hinein, von Nebel umhüllt (o wunderbar lautend!)

440 Dringt er, und geht in der Männer Gewühl; und keiner bemerkt ihn.

Mitten war in der Stadt ein Hain voll fröhliches Schattens;

Wo zuerst die von Sturm und Woge geschleuderten Pöner

es Zeichen entgruben dem Ort, das die Königin
            Juno

, ein Haupt des mutigen Gauls: denn so zu
            Befehdung

endlich würd', und leichtes Erwerbs, viel Jahre
            das Volk sein.   445

en Tempel der Juno erhob die Sidonerin
            Dido

lich alhier, durch Geschenk' und die Macht der
            Göttin, gesegnet,

rn stieg auf Stufen die Schwell', und gediegene
            Pfosten

bten mit Erz; dumpf knarrte den ehernen Pfor-
            ten die Angel.

r zuerst in dem Haine besänftigte neuerer
            Anblick   450

en die Furcht; hier wagte zuerst Äneas die
            Hofnung

endes Heils, und vertraute der Besserung seiner
            Bedrängnis.

m da er alles umher im erhabenen Tempel be-
            trachtet,

rend der Königin dort, der Stadt Aufblühen
            bewundernd,

wetteifernde Hände der Kunst, und die Mühe der
            Arbeit,   455

taunt; sieht er gereiht die ilischen Kämpf', in der
            Ordnung,

en Krieg, den den Ruf schon weit ansagte dem
            Erdkreis,

amus, Atreus Sohn, und, beiden ergrimmt, den
            Achilles.

                    3 *

Thränend ftand er, und fprach: O welcher Bezirk
    ift, Achates,

460 Welcher Raum in der Welt nicht voll fchon unferes
    Elends?

Schaue den Priamus doch! Auch hier ift Lohn dem
    Verdienfte!

Hier find Thränen dem Leid', und das Herz rührt
    menfchliches Schickfal!

Zage nicht mehr! wohl bringt doch einiges Frommen
    der Ruhm dir!

Alfo fprach er, und weidet die Seel' an der ei-
    telen Bildung,

465 Viel auffeufzend, und nezt mit ftrömender Zähre das
    Antliz.

Denn er fah, wie im Streit um Pergamos Höhen die
    Grajer

Dorthin flohn, und fie drängte die troifche Jugend;
    und dorthin

Phrygier, und mit Gefpann nachjagt Achilles im
    Helmbufch.

Nahe von dort erkennt er des Rhefus Zelte mit
    Wehmut

470 Am fchneeweifsen Gewand, die im erften verräthri-
    fchen Schlummer

Tydeus Sohn blutgierig mit häufigem Morde
    verheerte,

Und die entflammeten Rofs' abwandt' in das Lager, bevor fie

Futter im troifchen Land' und die Flut gekoftet des
    Xanthus.

Auch ift Troilus dort, wie er flieht, nach verlorener
    Rüftung:

Unglückfeliger Knab', ungleich dem Achilles be-
   gegnend!   475
Wie das Gefpann ihn entführt, wie am ledigen Wa-
   gen er rücklings
Hängt, und die Riemen noch hält; ihm fchleift mit
   dem Halfe das Haupthaar
Über den Grund, da den Staub die gewendete
   Lanze bezeichnet.
Ohnweit gehn zu dem Tempel der nicht gleichmüti-
   gen Pallas
Ilifche Fraun, hinfliegend das Haar, ein Gewand ihr
   zu bringen,   480
Demutsvoll und traurig, die Bruft mit den Händen
   zerfchlagend;
Abwärts dreht fich die Göttin, und blickt auf den
   Boden geheftet.
Dreimal hatt' er geraft um die ilifchen Mauren den
   Hektor,
Und den entfeeleten Leib verkauft er um Gold, der
   Pelide.
O wie beklemmt nun feufzet aus innerftem Bufen
   Äneas,   485
Als er Wehr und Gefpann, als felbft er die Leiche
   des Freundes,
Als er den Priamus fah wehrlos ausftrecken die
   Hände!
Ja fich felbft im Gewühl der achäifchen Fürften er-
   kennt er,
Auch eoifche Kämpf', und den Zeug des dunkelen
   Memnon.
Vorn an dem Schwarm Amazonen mit mondlicher
   Tartfche gebietet   490

Penthesilea voll Wut, und umringt von Tausenden
             flammt sie,

Unter geöfneter Brust umfchnallt mit goldenem
             Gürtel,

Kriegrifches Muts, und fie waget den Kampf auf
             Männer, die Jungfrau.

Weil dies wundernd betrachtet der Dardaner-
             held Äneas,

495 Weil er erftaunt, und ganz wie ein Starrender hafter
             im Anfchaun;

Wandelt die Königin her, die an Reiz holdfelige
             Dido,

Und ihr folgt zu dem Tempel der Jünglinge grofses
             Geleit nach.

Wie an Eurotas Geftad', und auf luftigen Höhen des
             Cynthus,

Tanzende Reihn Diana befeelt; fie umdrängen zu
             taufend

500 Hier Oreaden und dort, wildfchwärmende; ihr an
             der Schulter

Hängt das Gefchofs, und fie raget im Gang vor den
             Göttinnen allen;

Heimlich fchwillt der Latona von inniger Wonne der
             Bufen:

So war Dido zu fchaun, fo trat fie mit fröhlichem
             Antliz

Durch das Gedräng', antreibend das Werk und die
             künftige Herfchaft.

505 Jezt an der Pforte der Göttin, bedeckt vom Gewölbe
             des Tempels,

Safs fie, mit Waffen umfchaart, auf des Throns hoch-
             ragendem Seffel.

heil fprach fie den Männern und Recht; und die
Mühe der Arbeit

ilte fie gleich entweder nach Billigkeit, oder nach
Loofen:

auf einmal Äneas daher im Gewimmel des
Zulaufs

heus fieht und Sergeftus fich nahn, und den ftarken Kloanthus, 510.

h der Teukrer noch mehr, die der fchwarz her-
zuckende Wirbel

t in dem Meere verftürmt, und zu anderen Küften
gefchleudert.

g erftaunt er felber zugleich, und innig
Achates,

id' im Herzen und Angft; von Begier, die Hände
zu fügen,

inen fie; aber es hält Unkunde den Geift in
Verwirrung. 515

imend fich felbft nun, fpähn fie im hohlen Gewölk, das fie einhüllt:

ches der Männer Gefchick? wo die Flott' am
Strande fie liefsen?

ihr Begehr? denn es kommen Erlefens jegliches
Schiffes,

ndlichen Sinn zu erflehn; und fie nahn laut-
rufend dem Tempel.

Als fie hereingetreten, und Anred' ihnen vergönnt war; 520

Ilioneus an, der ältefte, ruhiges Herzens:

Königin, welcher die Stadt hier Jupiter neu zu
erbauen,

Und mit 'Gerechtigkeit. gab hochherzige Völker zu
        mildern;

Wir, unglückliche Troer, vom Sturm durch die
        Meere geschleudert,

525 Flehn dich an: o wehre den gräfslichen Brand von
        den Schiffen;

Schone des frommen Geschlechts, und näheres Blik-
        kes betracht' uns.

Nicht ja mit Stahl die Penaten der Libyer frech zu
        verwüften,

Kamen wir, noch zum Geftad' entwendete Beute zu
        raffen.

Nicht fo trozt von Gewalt, nicht fo der Befiegte von
        Dünkel.

530 Weftlich lieget ein Land, Hesperia nennt es der
        Grajer,

Altendes Ruhms, durch Waffen gelobt und ergiebige
        Scholle:

Einft vom önotrifchen Volke bewohnt; nun heifst es,
        die jüngern

Nannten es Italerland, von Italus Namen, des
        Führers.

Dorthin ftrebte der Lauf: . . .

535 Als uns plözlich im Sturm mit Gewog' auffteigend
        Orion

Trug auf blinden Moraft, und mit ganz ungebändig-
        tem Südwind,

Brandungen durch, in Empörung des Meers, bahnlo-
        fes Geklipp durch,

Streuete; wir nur kamen an euere Küfte ge-
        fchwommen.

:h ein Menfchengefchlecht? wo wird fo barbari-
    fcher Sitte

nifch zu werden erlaubt? Gaftfreundliches Ufer
    verwehrt man,   540

mend zum Kampf, und verbietet des Erdreichs
    Saum zu betreten!

in ihr die Menfchheit denn und der Sterblichen
    Waffen verachtet;

  doch gewifs, dafs Götter für Recht noch forgen
    und Unrecht!

ig war uns Äneas, dem nicht in Gerechtigkeit
    einer,

it in Frömmigkeit je, noch in Krieg und Waffen
    zuvorging.   545

in dén Mann das Gefchick uns rettete, wenn er
    des Äthers

ch noch geneufst, und nicht zu den graulichen
    Schatten hinabfank;

n unverzagt! auch foll die zuerft wetteifernde
    Wohlthat

  dich gereun. Wohl find auch in Sikulergegen-
    den Städte,

ungen auch, und berühmt aus troifchem Samen
    Aceftes.   550

zuziehn fei vergönnt die von Sturm zerfchlagene
    Flotte,

im Gehölz uns Balken zu haun, und Ruder zu
    glätten:

m uns Italia's Fahrt, in der Freunde Verein und
    des Königs,

d, dafs Italia wir und Latium fröhlich er-
    eilen.

Hülle zerreifst, und gelöst in offenen Äther fich
    läutert.

Siehe da ftand Äneas, und ftralt' in der Helle des
    Tages,

Hehr an Schulter und Haupt, wie ein Gott; denn die
    Zeugerin felber

590 Hatt' anmutige Locken dem Sohn, und blühender
    Jugend

Purpurlicht, und heitere Würd' in die Augen
    geathmet:

So wie das Elfenbein durch Kunft fich verfchönet,
    wie Silber

Prangt und parifcher Stein in des röthlichen Goldes
    Umrandung.

Drauf zur Königin wandt' er das Wort, und allen
    ein Wunder,

595 Redet' er plözlich, und fprach: Hier fchauet mich,
    welchen ihr fuchet,

Mich den Troer Äneas, entraft aus den libyfchen
    Wogen.

Die du allein dich erbarmend der endlos leidenden
    Troja,

Uns, dem Reft der Danaerwut, da in Meeren und
    Ländern

Alles Gefchick wir bereits ausduldeten, darbend an
    allem,

600 Stadt mittheileft und Haus: dir würdigen Dank zu
    entrichten,

Ift nicht unferer Macht, noch was auch irgend, o Dido,

Vom dardanifchen Volk ringsum in die Lande ver-
    ftreut ift.

Götter, wofern des Frommen noch Himmlifche wal-
                ten, wofern noch

Irgend Gerechtigkeit gilt, und ein Herz, unfträflich
                fich fühlend,

Geben dir würdigen Lohn! O welch ein fo fröhli-
                cher Zeitraum   605

Zeugete dich? von welchen fo Edelen, Herliche,
                ftammft du?

Weil meerab noch rollet ein Strom, weil fchattige
                Berghöhn

Lauben dem Wild' aufwölben, und kreifende Sterne
                der Pol nährt;

Immer bleibt dir Namen und Ehr' und ewiger
                Nachruhm,

Welches Land auch der Erde mich ruft! — So fprach
                er, und freundlich   610

Faßt' er Ilioneus an, ihn rechts, und links den
                Sergeftus;

Andre darauf, auch Gyas den Held, und den ftärken
                Kloanthus.

    Tief ob dem Anblick fchon war erftaunt die
                Sidonerin Dido,

Mehr ob dem Wundergefchicke des Manns. Jezt re-
                det fie alfo:

    Welches Gefchick verfolgt dich, o Sohn der Göt-
                tin, durch folche   615

Schreckniffe? welche Gewalt, die den furchtbaren
                Küften dich zuwarf?

Du bift jener Äneas, den einft an des Simois
                Strömung

Venus die hehre gebar dem Dardanerheld An-
                chifes?

Selbft gedenk' ich, wie Teukrus einmal gen Sidon
daherkam,

620 Fern aus heimifchen Fluren verbannt, und mit Hülf
des Belus

Suchend ein neues Gebiet. Da verödete Belus der
Vater

Cyprus gefegnetes Land, und herfcht' als Sieger
mit Obmacht.

Seit den Tagen bereits ift Troja's Jammergefchick
mir,

Und dein Name bekannt, und die Könige dort
der Pelasger.

625 Selbft er lobte, der Feind, mit erhabenem Lobe die
Teukrer,

Und fich rühmt' er entfproffen vom altenden Teukrer-
gefchlechte.

Auf, ihr Jünglinge, denn; kehrt ein in unfere
Wohnung.

Mich auch hat, ein gleiches Gefchick durch mancherlei Trübfal

Umgerollt, und endlich im Land' hier ruhen
geheifsen.

630 Fremd nicht blieb ich dem Kummer, und lernt' Un-
glücklichen beiftehn.

Diefes gefagt, führt Dido den Held Äneas zur
hohen

Königsburg, und ordnet ein Feft für die Tempel der
Götter.

Auch nicht minder indefs entfendet fie feinen
Genoffen

Zwanzig Stier' an den Strand, und hundert gewaltige
Säue,

tenumfarrt, auch hundert gefeißete Lämmer und
        Mütter; 635
h des erfreuenden Gottes Gefchenk . . .

Aber das innere Haus, voll königlich ftralendes
        Prunkes,
et gefchmückt, und fie 'rüften den Schmaus ín
        den mittleren Kammern.
piche, reich an Gewirke der Kunft, und prangen-
        dem Purpur;
z 'von Silber die Tafeln umblinkt; und, in Golde
        gemeifselt, 640
ferer Ahnen Verdienft, und langgereihete
        Thaten,
viel Männer herab von des Stamms uraltem
        Erzeuger.
Siehe da heifst Äneas (denn väterlich wallte das
        Herz ihm)
h den Achates zur Flotte hinabgehn, dafs er die
        Botfchaft
em Askanius bring', und daher zu den Mauren
        ihn führe. 645
z auf Askanius ruht die zärtliche Sorge des
        Vaters.
ngefchenke zugleich, aus der fallenden Troja ge-
        rettet,
ert er her: den Mantel, von Gold' und Bildun-
        gen ftarrend,
das Gewand, umbordet mit gelbdurchblüh-
        tem Akanthus,
t der Helena Schmuck, der Argiverin, den von
        Mycenä, 650

Als fie gen Pergamos ging zum unrechtmäfsigen
        Lager,

Jene gebracht, ein Wundergefchenk der Erzeugerin
        Leda;

Auch ein Zepter dabei, das geführt Ilione
        weiland,

Priamus ältere Tochter; dabei ein köftliches
        Halsband,

655 Perlenhell; und die Kron', aus Geftein und Golde
        gedoppelt.

Dies zu befchleunigen, richtet den Gang zu den
        Schiffen Achates.

Neue Kunft nun wendet in finnender Bruft
        Cytherea,

Neuen Entwurf: dafs Cupido, Geftalt úmtaufchend
        und Antliz,

Statt des füfsen Askanius komm', und mit Gaben zu
        Wahnfinn

660 Zünde der Königin Herz, und Glut den Gebeinen
        entflamme.

Denn das fchlüpfrige Haus, zweizüngige Tyrier
        fcheut fie;

Qual ift die trozige Juno; es kehrt mit den Nächten
        der Kummer.

Darum redet fie nun dies Wort zum geflügelten
        Amor:

Sohn, mir einzige Kraft, o allein du grofse Ge-
        walt mir!

665 Sohn, der des oberen Zeus tyfoifche Blize ver-
        achtet!

Dir nun nah' ich mit Flehn, und fodere Winke der
        Allmacht.

dein Bruder Äneas im Meer um alle
Geftade

t und irrt, durch den Zorn der unbarmherzigen
Juno,

ir bekannt; nicht felten betrübte dich meine
Betrübnis.

hält Dido nunmehr, die Phönicerin, feffelnd
in holder   670

ieichelred'; und ich forge, wohin fich wende
der Juno

reundfchaft; nicht fäumt fie fürwahr in fo grofser
Entfcheidung.

a mit Liften zu fahn und rings zu umhegen mit
Feuer

,' ich die Fürftin zuvor; dafs keinerlei Macht fie
verändre,

ern fie feft anhange mit mir dem geliebten
Äneas.   675

däs fchaffen du mögeft, vernim izt meine
Gefinnung.

er fidonifchen Stadt, auf den Ruf dés theueren
Vaters,

itet der fürftliche Knabe zu gehn, mein traute-
fter Liebling,

;end Gefchenk, das vom Meer und Troja's
Flamme verfchont ward.

in betäubendem Schlaf zu Idalions oder
Cythera's   680

gen Höhen entführt, verberg' ich in heiliger
Wohnung;

nicht merken er könne die Lift, noch begegnen
zur Unzeit.

Du, nur die einzige Nacht erkünſtele ſeine Geſtalt
dir:

Trüglich, und ſchlüpfe vertraut als Knab' in des
Knaben Geberde:

685 Daſs, wann dich auf dem Schooſs ſie empfängt, die
fröhliche Dido,

Unter dem Königsmahl und dem feurigen Trank des
Lyäus,

Wann ſie hold dich umarmt, und zärtliche Küſſe
dir heftet,

Du die verborgene Glut einhauchſt, und mit Giſte
ſie teuſcheſt.

Amor gehorcht dem Worte der trauteſten Mutter; die Flügel

690 Leget er ab, und wandelt vergnügt in dem Gang des
Iulus.

Aber Cypria thaut dem Askanius friedſamen
Schlummer

Über den Leib, und hebt ihn, gewärmt im Schooſse,
die Göttin,

Hoch in Idalia's Haine, wo ſchwellender Majoran
ſanft ihn,

Blumengedüft anathmend, in würzigem Schatten
umwallet.

695 Und ſchon ging nach dem Worte, die Gab' hintra-
gend des Königs,

Amor zur Tyrierſtadt, und begleitete froh den
Achates.

Jezt wie er kommt, hat ſchon auf prangenden
Teppichen Dido

Über dem goldnen Geſtühl ſich gelegt an die Mitte
der Tafel.

1 der Vater Äneas, und fchon die trojanifche
Jugend,

n herein; man lagert fich rings auf gebreiteten
Purpur. 700

ende reichen den Händen die Flut, und entheben der Ceres

dem Korb', und bieten die weichgefchorene
Handquehl.

zig waren der Mägd' im Palaft, die gefchäftig
den Vorrath

hin forgten zu reihn, und mit Glut die Penaten
umhäuften.

lert andere Mägd', und fo viel gleichaltrige
Diener, 705

n mit köftlichem Schmaufe die Tifch', und fezen
die Becher.

die Tyrier traten herein durch ftattliche
Schwellen

gefchaart, und fie ruhn, auf gezeichnete Polfter
genöthigt.

dernd fchaun fie Äneas Gefchenk', und fchaun
den Ïulus,

nit entbranntem Gefichte, den Gott! und geähn-
lichten Worten, 710

el zugleich und Gewand mit gelbumblühtem
Akanthus.

Aber zumeift die arme, dem nahenden Fluche
geweihte

rin kann ihr Herz nicht fättigen; gierig des
Anfchauns

at fie, vom Knaben zugleich, und zugleich vom
Gefchenke bezaubert.

4 *

715 Jener, nachdem er Äneas umarmt, und am Half
    ihm gehangen,

Und das begierige Herz dem geheuchelten Vater ge-
    fättigt,

Eilt zur Königin nun. Mit den Augen an ihm, mit
    der Seele

Haftet fie; oft auch im Schoofs erwärmt ihn Dido,
    und weifs nicht,

Welch ein Gott ihr genaht, der Elenden! Er, fich
    erinnernd

720 Dein, acidalifche Mutter, enthebt des Sychäus Ge-
    dächtnis

Allgemach, und verfucht mit lebender Glut zu
    . erobern

Ihr längft kühleres Herz, und der Seel' entwöhnete
    Regung.

    Als fie zuerft nun ruhten vom Mahl, und ent-
    fernet die Tafeln;

Stellen fie mächtige Krüg' umher, und kränzen die
    Weine.

725 Raufchender wird der Palaft, es durchrollt die geräu-
    migen Säle

Stimmengetön; fchon hangen von goldenen Decken
    die Leuchter

Rundumflammt, und Sieger der Nacht, glühn ftra-
    lende Fackeln.

Dido verlangt ihr altes, von Gold und Gefteine
    befchwertes

Opfergefäfs, und füllt es mit Wein: das Belus, und
    alle

730 Seit dem Belus gebraucht. Nun fchwiegen verftummt
    die Gemächer.

Jupiter! denn dich nennt man des Gaftrechts
heiligen Hüter:

'en Tag lafs fröhlich den Tyriern, und die von
Troja

lderten, fein; lafs deſſen noch unſere Enkel
gedenken!

der erfreuende Bacchus mit uns, und die gütige
Juno!

, o Tyrier, feirt mit gewogener Seele das
Gaſtmahl!   735

Rief fie, und gofs auf den Tiſch des edelen
Trankes zur Weihe,

ete felbſt den geweihten zuerſt mit der äuſerſten
Lippe,

ht' ihn fodann auffodernd dem Bitias; und un-
verdroſſen

pft' er den ſchäumenden Kelch, aus gefülletem
Golde ſich lezend.

ere Fürſten darauf. Dann tönt der umlockte
Iopas   740

goldheller Gitarre, gelehrt vom erhabenen
Atlas.

er befingt Arbeiten der Sonn', und Irren des
Mondes;

ler Menfchen und Vieh; woher Plazregen und
Leuchtung;

h den Arktur und die feuchte Hyad' und die dop-
pelte Bärin;

um winternde Sonne fo rafch zum Oceanus
nieder   745

cht, und welcher Verzug die fäumigen Nächte
fo aufhält.

Beifall klatſchen die Tyrier oft, nach folgen die
           Troer.

    Auch durch mancher Geſpräch' Abwechſelung
           führte die Nacht hin

Dido, und trank, ach Arme! in langem Zuge
           die Sehnſucht:

750 Viel um Priamus jenen, und viel um Hektor
           befragend;

Dann, mit welcherlei Waffen der Sohn der Aurora
           gekommen;

Dann, wie ſchön Diomedes Geſpann, wie groſs der
           Pelide.

Beſſer, wohlan von dem erſten Beginn, o Fremdling,
           erzähl' uns,

Sprach ſie, der Danaer Trug, und der Deinigen wech-
           ſelndes Schickſal,

755 Und dein Irren umher. Denn ſchon der ſiebente
           Sommer

Trägt dich in irrendem Lauf durch Land' und
           Gewäſſer des Erdreichs.

ÄNEÏS.

ZWEITER GESANG.

INHALT.

Äneas erzählt Troja's Untergang. Die zum Schein abzie-
henden Griechen laſſen im Lager ein hölzernes Roſs, welches
die Troer, durch Sinons Betrug und Laokoons Tod bewogen,
in die Stadt aufnehmen. Während des nächtlichen Überfalls
ermahnt Hektor im Traum den Äneas, mit den Götterbil-
dern zu entfliehn. Äneas ſtürzt dennoch in den Kampf; aber
umſonſt. Tod des Priamus. Auf der Venus Geheiſs kehrt
Äneas zum Vater zurück: rettet die Götter und die Seinigen,
und verliert im Getümmel die Gattin.

ÄNEÏS.

ZWEITER GESANG.

———————

ings war alles verstummt, und gespannt hielt jeder
 das Antliz.
uf vom erhabenen Polster begann der Vater
 Äneas:
 Unaussprechlichen Gram, o Königin, soll ich
 erneuern;
e die trojanische Macht und die mitleidswürdige
 Herschaft
naer warfen in Staub; was ich selbst anschaute
 des Elends,   5
ssen ich selbst nicht wenig ertrug! Wer, solches
 erzählend,
rmidon' und Doloper seis, und des harten
 Ulysses
iegsfreund, hemmte die Thrän'? Auch eilt die
 thauige Nacht schon
mmelab, und es laden die sinkenden Sterne
 zu Schlummer.
er verlangt dich so sehr, zu erkundigen un-
 sere Leiden,   10

Und ihn kurz zu vernehmen, den endenden Jammer von Troja;

Wie auch der Geiſt vor des Grames Erinnerung
ſchaudernd zurückfährt,

Will ich gehorchen dem Wunſch. Kriegsſatt, und
gehemmet vom Schickſal,

Harrten die Danaerfürſten ſo viel hingleitende
Jahre;

—15 Ein bergähnliches Roſs, durch göttliche Kunſt der
Minerva,

Bauen ſie jezt, und ſpünden mit tannener Bohle
die Rippen:

Als ein Weihegeſchenk für die Heimkehr; ſolch ein
Gerücht fliegt.

Hierin bergen ſie heimlich vom Looſ' erkohrene
Männer,

Eingeſperrt in der Seite Verſchloſs; und die
Höhlungen ringsum

20 Durch den geräumigen Bauch ſind voll des gewapneten Kriegers.

Abreichbar dem Geſicht iſt Tenedos, einſt ein
berühmtes

Eiland, blühend und reich, weil dauerte Priamus
Herſchaft;

Jezo nur Bucht, kaum ſicher zum Stand einkehren-
den Schiffen.

Hieher ſteuerten jen', und ſie birgt das verödete
Ufer.

25 Wir auch wähnen, ſie flohn, und ſegelten heim gen
Mycene;

Und ganz Teukria löſet das Herz vom daurenden
Kummer.

n ftehen die Thor'; ~~aus fliegt man~~, das dorifche

    Lager

l die verlaffenen Orte zu fchaun, und den ~~einfa-~~

   ~~men~~ Meerftrand.

r der Dóloper Zelt', und hier des graufen

    Achilles;

r war die Flotte gereiht; hier kämpften fie oft in

    der Feldfchlacht. — — —30

er der Jungfrau Pallas Gefchenk, das verderbliche,

    ftaunt man,

e unbändiger Gröfse das Rofs. Und der erfte

    Thymötes

h, in die Mauren geführt, auf die Höhe der Burg

    es zu ftellen;

durch Verrath, feis weil fchon nahete Ilions

    Schickfal.

ys jedoch, und wer von befferem Sinne be-

    feelt ift,   35

ll der Danaer fchlauen Betrug und verdächtige

    Gabe

ch in die Wogen geftürzt, und verbrannt mit um-

    loderndem Feuer;

er den Bauch ihm durchbohrt, und erforfcht die

    gehöhleten Winkel.

ftät fchwanket die Meng' in widerftrebender

    Neigung.

Jezo vor allen zuerft in dem Schwarm nachftrö-

    mendes Volkes,   40

nt, von Eifer entbrannt, Laokoon hoch von der

    Burg her.)

nde! ruft er von fern; welch rafender Wahn,

    o ihr Bürger!

Glaubt ihr hinweggefahren den Feind? und hoft ihr,
betruglos

Komme vom Danaervolk ein Geschenk? So kennt
ihr Ulysses?

45 Hier sind entweder geheim in dem Holz verschlossen
Achiver;

Oder das Rüstzeug ward auf unsere Mauren gezim-
mert,

Hoch in die Häuser zu schaun, und der Stadt zu
nahen von oben;

Oder es laurt sonst Tücke. Dem Ross nicht getrauet,
o Teukrer!

Was es auch sei, mir bangt vor dem Danaer, bring'
er Geschenk auch!

50 Sprachs, und erhob mit Gewalt die ungeheuere
Lanze,

Und in die Seit' und den Bauch, den krummgewölb-
ten, des Unthiers

Schwang er hinein. Sie stand und erbebt'; im er-
schütterten Schoosse

Tönete hohl ringsher und erscholl mit Gerassel die
Höhlung.

Und wenns Göttergeschick, wenn nicht das Herz so
verkehrt war;

55 Hätt' er bewegt, sie zu schänden mit Stahl, die argo-
lische Jauer;

Troja, du ständest annoch, du dauertest, Priamus Fels-
burg!

Siehe, den Jüngling indes, die Händ' auf den
Rücken gefesselt,

Schleppen daher Berghirten mit grossem Geschrei zu
dem König,

Dardaner: welchen er fich, unerkannt den kommen-
   den, willig,
Dafs dies fchlau er bewirkt', und öfnete Troja den
   Grajern,   60
Selbft darbot: hochtrozig im Geift, und auf beides
   fich faffend,
Ob zu zerrütten durch Trug, ob ficherem Tode zu
   fallen.
Rings in Begierde zu fchaun ergiefst fich die troifche
   Jugend
Stürmifch umher, und fie eifern im Hohn des gefan-
   genen Grajers.
Jezo der Danaer Tücke gemerkt, und aus einer Ver-
   fchuldung   65
Lerne das fämtliche Volk . . . .

Denn, wie im fchauenden Kreife verwirrt, unbewaf-
   net, er dafiand,
Und mit den Augen die Schaaren der Phrygier rings
   umfchaute:
Welch ein Gefild', ach! rief er, gewähret mir, welch
   ein Gewäffer
Zuflucht? oder was bleibet zulezt mir Elenden
   übrig?   70
Welchen das Danaervolk ausftöfst, und welchem dazu noch
Selbft hier Strafe mit Blut die erbitterten Dardaner
   androhn!
  Diefes Gefeufz wandt' allen den Sinn, und bän-
   digte allen
Ungeftüm. Anzeige verlangen wir: wie und woher er,

75 Was er bring', und welches Vertraun der Gefangene
        trage.

Alles will ich dir, König, und was auch folge,
        nach Wahrheit,

Spricht er, gestehn; und nicht den argolifchen Stamm
        dir verleugnen.

Diefes zuerft! Nie foll, wenn zum elenden Manne
        den Sinon

Unglück fchuf, auch eitel und falfch ihn das grau-
        fame fchaffen!

80 Wenn durch Sage vielleicht vor deinem Ohre der
        Name

Belus Sohn Palamedes ertönete, und des Be-
        rühmten

Herlichkeit: welchen, um Schein unwahres Verraths,
        die Pelasger

Schuldlos ganz, auf fchnöde Verleumdungen, weil er
        den Krieg nicht

Wollte, zum Tode verdammt, und jezt den Ent-
        fchlafnen betrauern:

85 Ihm zum Waffengenoffen, verwandt durch Nähe des
        Blutes,

Sandt' in früherer Jugend mich her mein dürftiger
        Vater.

Als ungekränkt im Gebot er ftand, und im Rath der
        Gebieter

Blühete; trugen auch wir noch etwas Namen und
        Anfehn.

Aber nachdem durch den Neid des ränkevollen
        Ulyffes

90 (Nicht Unkündiges red' ich) die obere Welt er ver-
        laffen;

Schleppt' ich niedergebeugt mein dunkeles Leben
        in Schwermut,
Und ich gedacht' unwillig des fchuldlos fallenden
        Freundes.
Auch nicht fchwieg ich, der Thor! nein, gönnet' es
        je das Gefchick mir,
Kehret' ich je obfiegend zurück in die heimifche
        Argos,
Bot ich zum Rächer mich dar, und erbitterte jenen
        durch Drohung.   95
Nun mir zuerft der Verfall ins Weh; nun ftets von
        Ulyffes
Neuer Befchuldigung Schrecken gehäuft; nun dunk-
        les Gezifchel
Unter die Menge verftreut, und tückifche Waffen
        gefuchet!
Nicht auch ruhet' er ja, bis zulezt durch Dienfte des
        Kalchas —
Aber warúm doch foll ich umfonft Unholdes
        entwickeln?   100
Was noch gefäumt? Wenn alle für Eins die Achiver
        ihr achtet,
Und das allein zu hören genügt; flugs übet die
        Strafe!
Dies ja des Ithakers Wunfch! dies kauften fich hoch
        die Atriden!
   Jezo glühn wir entbrannt, zu erfpähn und zu
        forfchen die Urfach,
Unvertraut mit fo frevlem Betrug' und pelasgifcher
        Arglift.   105
Ängftlich verfolgt er die Red', und fpricht mit heu-
        chelnder Seele:

Oftmals wollten in Flucht von Troja fcheiden
die müden

Danaer, und fich entziehen des Kampfs langwieriger
Arbeit.

Hätten fie nur es gethan! Doch oftmals wehrte des
Abgrunds

110 Düftere Woge fie ab, und die gehenden fchreckte
der Südwind.

Aber zumeift, als fchon aus Ahornbalken ge-
zimmert

Stand dies Rofs, fcholl, rings plazregnender Sturm in
dem Äther.

Rathlos fenden wir nun den Eurypylus, welcher
Apollo's

Ausfpruch forfcht, und vom Gotte die traurigen
Worte zurückbringt:

115 Blut verfühnt euch die Wind', und eine geopferte
Jungfrau,

Als zu der ilifchen Küfte zuerft ihr Danaer
ausgingt:

Blut gewähre nunmehr Heimfahrt, und ein Leben
von Argos

Sei die Entfündigung! — Schnell, wie das Volk
anhörte den Ausfpruch,

Staunten fie alle beftürzt, und es fchauderte kältender
Schrecken

120 Durch ihr Gebein: wen fodre der Gott, wem deute
das Schickfal.

Aber der Ithaker fchleppt den zukunftahnenden
Kalchas

Unter das Volk mit Tumult; was doch dies Göttergebot fei,

ert er. Jezo bereits weiſſagten mir viele des
                    Schleichers

uſam frevelnde That, und ſahn in der Stille, was
                    ankam.

:imal fünf durchſchweigt er der Tag' und weigert
                    verdeckt ſich,   125

nd wen zu verrathen durchs Wort, und dem
                    Tode zu ſtellen.

m von dem groſsen Geſchrei des Ithakers endlich
                    getrieben,

et er nach dem Vertrage das Wort, und beſtimmt
                    dem Altar mich.

all riefen ihm all'; und, was ſelbſt jeder ge-
                    fürchtet,

a auf des Einzigen Haupt, des Elenden, gern ſie
                    gewendet.   130

)n war der Tag des Fluches genaht; mir drohte
                    das Opfer,

das geſalzene Schrot, und die heilige Bind' um
                    die Schläfen.)

r dem Tod', ich bekenn' es, entriſs ich mich,
                    ſprengend die Feſſel;

l im moraſtigen Sumpfe die Nacht, von Schilfen
                    umdunkelt,

ich, bis jene die Segel, wofern ſie's thäten,
                    geſpannet.   135

jezt hoff' ich zu ſchauen der Heimat alte
                    Gefilde,

die trauteſten Kinder, und ihn, den erſehneten
                    Vater.

, an ihnen vielleicht wird grauſame Strafe geübt
                    ſein

Meines Entfliehns, und die Schuld mit der Elenden
Tode geführnet!

140 Drum bei den Oberen dort, und den waltenden Mächten der Wahrheit,

Bei, wenn einige noch den Sterblichen irgendwo
nachblieb,

Bei ungemakelter Treu! Erbarmung fleh' ich dem
Jammer,

Diefem! Erbarmung dem Herzen, das fo Unwürdiges duldet!

Ihm dem Weinenden geben wir Gnad', und erbarmen uns willig.

145 Priamus - felbft nun heifset zuerft ablöfen des
Mannes

Feffel und engende Band'; und mit freundlicher Rede
beginnt er:

Wer du auch bift, gleich bann' aus dem Sinn
die verlorenen Grajer;

Uns gehört du. Doch dies mir Fragenden treulich
gemeldet.

Wozu thürmten fie dort das entfezliche Rofs? wer er-
fand es?

150 Welches der Zweck? was für Religion? was für
Kriegesgeräthfchaft?

Priamus fo. Doch jener, voll Trugs und pelasgifcher Arglift,

Hub zu den Sternen empor die der Band' entledig-
ten Hände:

Ihr, o ewige Feuer, mit nie zu verlezender
Obmacht,

Zeugt mir, und ihr, fo ruft er, Altär', und o Dolche
des Greuels,

Die ich geflohn, und o Binden, die mich Sühnopfer
        geschleiert!   155

Mir ist erlaubt, der Grajer, geheiligte Rechte zu
        lösen;

Mir, zu haffen das Volk, und frei zu verkündigen
        alles,

Was es verhehlt; mich feffeln nicht mehr die Gefeze
        der Heimat!

Du nur bleib' in dem Wort', und, erhaltene Troja,
        erhalt mir

Glauben und Treu; wenn Wahres ich bring', und
        grofse Vergeltung!   160

Alles Vertraun der Achäer, und jegliche Hoffnung
        des Krieges,

Ruhete stets auf Pallas, der Helferin. Aber seit-
        dem nun

Tydeus frevelnder Sohn, und des Unfugs Grübler
        Ulyffes,

Wagend das fchickfalvolle Palladium aus dem
        geweihten

Tempel zu ziehn, nach Ermordung der burgauffehen-
        den Hüter,   165

Weggerafft ihr hehres Gebild, und mit blutigen
        Händen

Frech an der heiligen Macht jungfräulichen Schleier
        getaftet;

Seit dem Tage verftrömt', und entfloh ausgleitend den
        Rückweg,

Alles Vertraun, hin welkte die Kraft, und gewandt
        war die Göttin.

Nicht mit bezweifelten Winken erklärt' uns Tritonia
        folches.   170

Kaum war geftellt im Lager das Bild; da entloderte fchimmernd

Ihrem gehobenen Blicke die Glut, und die Glieder herab rann

Salziger Schweifs, und fie felbft, dreimal von dem Boden (o Wunder!)

Sprang fie empor, mit dem Schilde bewehrt und der zitternden Lanze.

5 Schleunig in Flucht zu verfuchen das Meer, heifst Kalchas der Seher:

Pergamus fteh' unbezwinglich argolifchen Waffen, wofern nicht

Neuen Wink fie in Argos geforfcht, und die Götterentfcheidung

Heimgeführt, mit welcher fie ausgefchift in die Meerflut.

Jezo, im Wind' abfegelnd zur väterlichen Mycene,

0 Holen fie Wehr und Göttergeleit; bald wieder die Flut durch

Kommen fie plözlich daher. So ordnet die Deutungen Kalchas.

Für das Palladium nun, und für die beleidigte Gottheit,

Stellten fie diefes Gebild, um gewarnt zu fühnen die Blutfchuld.

Aber fo ganz unmäfsig gebot aus verflochtenem Kernholz

5 Kalchas zu thürmen den Bau, und empor in den Himmel zu leiten:

Dafs kein faffendes Thor einführt' in die Mauren das Bildnis,

Noch ihm vertraute das Volk in dem altenden Dienste
        der Göttin.)

Denn wenn euere Hände verletzt die Geschenke Mi-
        nerva's;

Dann würd' arges Verderb (o himmlische Mächt', auf
        den Deuter

Wendet es!) Priamus Reich' und dem Phrygiervolke
        bevorstehn.   190

Doch wenn euere Händ' in euere Stadt es gefüh-
        ret;

Selbst würd' Asia dann zu des Pelops Mauren mit
        Kriegsmacht

Kommen, und unsere Enkel beträf' einst dieses Ver-
        hängnis.

    So arglistigem Truge des meineidschwörenden Si-
        non

Wurde geglaubt, und es fielen durch Ränk' und er-
        zwungene Thränen   195

Sie, die nicht der Tydeid', und der Larissäer
        Achilles,

Nicht zehn kämpfende Jahre bezähmt, nicht tausend
        der Schiffe.

    Noch ein größerer jezt und weit graunvollerer
        Anblick

Stellt sich den Elenden dar, und verwirrt die befrem-
        deten Herzen.

Priester, gezogen durch Loos, war Laokoon dort dem
        Neptunus,   200

Dem den gewaltigen Stier an den Festaltären er
        weihte.

Siehe von Tenedos her, zwiefach durch stille Ge-
        wässer

Nahn (ich erzähle mit Graun!) unermeſslich kreiſende
         Schlangen,
Über das Meer ſich dehnend, und ſtreben zugleich an
         das Ufer;
205 Denen die Bruſt, in den Wellen emporgebäumt, und
         die Mähne
Blutroth aus dem Gewog' aufragt; ihr übriger Leib
         ſtreift
Hinten die Flut, und ſie rollen unendliche Rücken
         in Wölbung.
Laut mit Geräuſch her ſchäumet das Salz; jezt drohn
         ſie gelandet,
Und, die entflammeten Augen mit Blut durchſtrömet
         und Feuer,
210 Ziſchen ſie beid', und umlecken mit regerer Zunge
         die Mäuler.
Alle zerfliehn vor der Schau blutlos. Doch ſicheres
         Zuges
Gehn ſie Laokoon an; und zuerſt zween kindlichen
         Söhnlein
Dreht um den Leib ringsher ſich das Paar anringeln-
         der Schlangen,
Schnüret ſie ein, und, o Jammer! zernagt mit dem
         Biſſe die Glieder.
215 Drauf ihn ſelbſt, der ein Helfer ſich naht und Ge-
         ſchoſſe daherträgt,
Faſſen ſie ſchnell, und knüpfen die gräſslichen Win-
         dungen: und ſchon
Zweimal mitten umher, zweimal um den Hals die
         beſchuppten
Rücken geſchmiegt, ſtehn hoch ſie mit Haupt und
         Nacken gerichtet.

Jener ringt mit den Händen, hinweg die Umknotun-
  gen drängend,
Ganz von Eiter die Bind' und fchwärzlichem Gifte
  befudelt;   220
Und graunvolles Gefchrei hochauf zu den Sternen
  erhebt er:
So wie Gebrüll auftönt, wann blutend der Stier vom
  Altare
Floh, und die wankende Axt dem verwundeten
  Nacken entfchüttelt.
Aber fie beid' entrollen zum oberen Tempel, die
  Drachen,
Schlüpfriges Gangs, und ereilen die Burg der erzürn-
  ten Tritonis,   225
Wo fie unter die Füfs' und des Schilds Umkreis fich
  verbergen.
  Jezo fürwahr durchbebet das Herz des betroffe-
  nen Volkes
Tief die erfchütternde Angft; und verfchuldeten Fre-
  vel, fo ruft man,
Büfse Laokoon dort, der den heiligen Bau mit der
  Kriegswehr
Schändete, und in den Leib herfchwang die entwei-
  hende Lanze.   230
Werde geführt zum Tempel das Bild, und die mäch-
  tige Göttin
Angefleht, ruft alles . . . .

Stracks find die Mauren getrennt, und der Stadt Boll-
  werke geöfnet.
Aufgefchürzt ift alles zum Werk; hinrollende Räder

235 Unter die Füße gelegt; und hanfene Taue dem
Halfe

Angeftrengt. Nun fteiget der Unglücksbau zu den
Mauern,

Schwanger von Wehr. Rings Knaben und noch un-
bräutliche Mägdlein

Singen zum Feft, und freun fich das Seil mit den
Händen zu rühren.

' Vor rückt jener, und ftürzt hochdrohend hinein in
die Feftung. ‹ ‹ ‐ ›

240 Ilion, Stadt der Götter! o Heimat, waffenbe-
rühmte

Burg des Dardanerftamms! viermal an der Schwelle
des Thores

Blieb er ftehn, und im Bauch fcholl viermal Waffen-
geraffel.

Doch fort dringen wir, unachtfam und geblendet von
Wahnfinn,

Bis in der heiligen Burg wir geftellt das leidige
Graunbild.

245 Jezo entfchliefst auch Kaffandra den Mund annahen-
dem Schickfal,

Der, auf des Gottes Gebot, nie fprach, dafs glaubten
die Teukrer.

Wir durchjubeln die Stadt, wir Elenden, welchen zulezt nun

Stralte der Tag, und kränzen mit feftlichem Laube
die Tempel.

Um nun dreht fich der Himmel, und her vom
Oceanus dringt Nacht,

250 Ganz in dunkele Schatten den Pol und die Erde
verhüllend,

Und den pelasgifchen Trug. Die Dardaner rings in
der Feftung

Liegen verftummt, und Schlummer umfängt die ermüdeten Glieder.

Schon in gerüfteten Schiffen von Tenedos kam
der Argiver

Heeresmacht, durchfchwebend die freundliche Stille
des Mondes,

Her zum bekannten Geftad': als hoch um des Königes Steuer   255

Flammt' anzeigender Glanz, und gefchüzt durch
feindliche Götter,

Sinon geheim die im Bauche verfchloffenen Danaer-
helden

Löft' und das fichtne Verfchlofs. An die Luft giebt
jezo geöfnet

Jene der Gaul: froh eilen, des hohlen Gebäus fich
entkerkernd,

Sthenelus und Theffandrus der Fürft, und der graufe
Ulyffes,   260

Gleitend am Seile herab; auch Akamas mutig, und
Thoas,

Neoptolemus auch der Pelid', und der erfte Ma-
chaon,

Auch Menelaus, und felbft des Betrugs Werkmeifter
Epeos.

Und fie beftürmen die Stadt, die von Wein und
Schlafe betäubt lag.

Niedergehaun find die Wächter; herein durch ent-
riegelte Thore   265

Strömen die Freund', und es gehn mitkundige Schaaren vereinigt.

Noch war die Zeit, da Ruhe zuerſt mühſeligen Menſchen

Annaht, und durch Göttergeſchenk willkommen ſich einſchleicht.

Jezo im Traum, o ſiehe, der jammervolleſte Hektor

270 Schien mir vor Augen zu ſtehn, und bittere Thränen zu weinen:

So wie vordem vom Geſpanne geſchleift, in des blutigen Staubes

Schwärze gehüllt, und mit Riemen die ſchwellenden Füſse durchzogen.

Wehe mir, welche Geſtalt! wie ganz verändert von jenem

Hektor, der ſtolz heimkehrt' in erbeuteter Wehr des Achilles,

275 Oder wann phrygiſche Glut in der Danaer Flott' er geſchleudert!

Rauh von Wuſte den Bart, voll klebendes Blutes ſein Haupthaar,

Rings mit den Wunden genarbt, die zahllos jener um Troja's

Heimiſche Mauren empfing. Selbſt nun als Weinender wähnt' ich

Anzureden den Mann, die traurigen Worte beginnend:

280   O Dardania's Licht, o treueſte Hofnung der Teukrer,

Wo ein ſo langer Verzug? Aus welcherlei Gegenden, Hektor,

Kommſt du Erwarteter nun? Wie ſehr, da ſo mancher der Deinen

Leichnam ward, da fo manche Bekümmernis Menfchen und Stadt traf,

Schaun wir ermattet auf dich! O was Unwürdiges
hat dein

Heiteres Antliz entftellt? Warum dort feh' ich die
Wunden? 285

. Er kein Wort; nicht gab er dem Eiteles Fragenden Säumnis;

Sondern aus innerfter Bruft aufbebende Seufzer ver-
athmend:

Fleuch, o der Göttin Sohn, und entreifs dich,
ruft er, den Flammen!

Feinde beherfchen die Stadt; hin ftürzt die erhabene
Troja!

Gnug ift für Heimat gethan und Priamus! Könnte
mit Händen 290

Troja vertheidiget fein, fie hätt' auch diefe vertheidigt!

Heiligthum und Penaten vertraut dir Ilios: fie
fein

Deines Gefchicks dir Begleiter, für fie fuch' andere
Mauern,

Herliche, die nach Irren durch Meerflut endlich du
aufbauft.

Sprachs, und trug mit den Binden zugleich die
gewaltige Vefta, 295

Und ihr ewiges Feuer aus unzugänglichen Kam-
mern.

Fern indefs durchwühlte die Stadt ein vielftim-
miges Elend.

Lauter bereits und lauter, wie weit auch dem Vater
Anchifes

Abgefondert das Haus, und bedeckt von Bäumen,
zurückwich,

300 Tönt der fchwellende Hall, und näheres Waffenge-
klirr droht.

Und ich entfahre dem Schlaf; zu dem oberften Giebel
des Daches

Heb' ich den fteigenden Lauf, und ftehe mit lau-
fchenden Ohren.

Wie wenn in Saatengefilde die Glut mit der toben-
den Windsbraut

Einfällt, oder ein jäher, vom Berg' abtaumelnder
Sturzbach

305 Äcker verfchwemmt, Fruchtpflanzen verfchwemmt,
und Werke der Rinder,

Und abfchüffige Wälder entraft; unkundig er-
ftaunet,

Hoch das Getöf anhörend, vom Felfengipfel der
Berghirt.

Nun war, nun handgreiflich der Glaub', und der
Danaer Arglift

Aufgedeckt. Schon krachte Deïfobus räumige
Wohnung

310 Unter dem Brand des Vulkanus in Schutt; auch Uka-
legon nächft ihm

Lodert empor; weit glänzen figeïfche Sunde dem
Feuer.

Furchtbar tönt dort Männergefchrei, dort Klang
der Trompeten.

Waffen ergreif' ich betäubt, und es fehlt Abficht bei
den Waffen.

Doch mit gefammelter Macht in den Streit eindrin-
gen, und hülfreich

n zur Burg, das brennt mir im Geift. Wut
  fpornt und Erbittrung   315
ings die Seel', und herlich erfcheints in den
  Waffen zu fterben.
:chaue doch, Panthus anizt, den Gefchoffen
  entflohn der Achiver,
1s, der Othryad', in der Burg ein Priefter
  Apollo's,
Geräth, und Götter, die fliehn, und den kindlichen Enkel
pt er mit eigener Hand, und enteilt finnlos zu
  der Schwelle.   320
'anthus, wie fteht gegründet das Heil? wo
  fchüzet ein Hort uns?
dies hatt' ich gefagt, da der Seufzende folches
  erwiedert:
)a ift der Tag des Verderbs, der unfliehbare,
  Dardanus Kindern!
waren wir einft! ach Ilion war, und der
  Teukrer
ider Ruhm! Grimmvoll hat Jupiter alles gen
  Argos   325
eführt! In den Gluten der Stadt obwalten
  Argiver!
in der Mitte der Burg fteht dort, und gewap-
  nete Männer
et das Rofs; und es fchürt Mordbrand der Er-
  oberer Sinon,
;es Muts. Ein ftrömen durch zwiefachoffene
  Thore
ide, fo viel je uns gefandt die grofse
  Mycene.   330

Andere halten befezt die engenden Wege mit
    Kriegswehr

Gegengeftellt; fcharf raget der Stahl, mit fchimmern-
    der Klinge

Zuckend, zum Morde bereit. Kaum wagen des
    Kampfes Verfuch noch

Vordere Hüter der Thor', in blindem Gefecht fich
    erwehrend.

335   So durch Panthus erregt und die Macht der un-
    fterblichen Götter,

Stürm' ich in Flamm' und in Waffen hinein, wo die
    düftre Erinnys,

Wo das Getümmel mir ruft, und Gefchrei auftönet
    zum Äther.

Bald nun gehn mir gefellt Rhipeus, und der
    waffenberühmte

Epytus; bald auch Dymas und Hypanis nahen im
    Mondfchein,

340 Und an die Seit' uns häufen fie Macht; auch der
    Jüngling Koröbus,

Mygdons Sohn. Erft neulich zum troifchen Lande
    geführet

Durch fein Gefchick, denn ihn brannt' unfinnige Lieb'
    um Kaffandra,

Bracht' er als Eidam Hülfe dem Priamus und den
    Trojanern:

Unglückfeliger, der, was die rafende Braut ihm
    geweiffagt,

345 Nicht vernahm! . . .

Als ich diefe gefchaart und den Kampf zu wagen ge-
    fafst fah,

ich Ermahnung hinzu: O Jünglinge, Herzen,
umſonſt noch
: und kühn! wenn euch das äuſserſte mit
zu verſuchen
:t der Mut; (wie jezt das Geſchick entſcheide,
das ſeht ihr:
ſind die Götter geflohn aus Heiligthum und
Altären, 350
wodurch dies Reich ſich erhob; bei ſpringt ihr
der ringsum
enden Stadt!) auf, ſterben! und tief in die
Waffen gerennet!
In Heil iſt Beſiegten, durchaus kein Heil zu
erwarten!
liefs, und in Wut entbrannten die Jünglinge.
Drauf, wie die Wölfe
durch düſtere Nebel nach Raub, wann raſendes
Hungers 355
:üm ſie wie blind umtreibt, und mit trockenen
Kehlen
im verlaſſenen Lager die Brut: ſo durch Waffen, durch Feinde
eln wir, ſicherem Tode geweiht, und zur Mitte
der Stadt hin
t der Gang; ſchwarz hüllet der Nacht umſchwe-
bendes Dunkel.
Ver kann jenes Gemezel der Nacht, wer alle
die Morde 360
gen? wer mit Thränen die Meng' abreichen
des Jammers?
iſt die altende Stadt, die ſo viel Jahre
geherſchet.

Zahllos find durch die Gaſſen geſtreckt unkriegriſche
           Leiber

Rings, und geſtreckt durch die Häuſer, und ſelbſt
           um der Götter gefeirte

365 Wohnungen. Doch nicht allein ſinkt blutiger Rache
           der Teukrer:

Oft auch kehrt dem Beſiegten ins Herz anringende
           Tugend;

Und der beſiegende Danaer fällt. Dort ſchrecket
           und dorther

Jammer und Angſt und Geſtalten des vielfach würgen-
           den Todes.

     Jezt von den Feinden zuerſt, in dem Schwarm
           nachſtrömendes Volkes,

370 Beut ſich Andrógeos dar, für Danaerſchaaren uns
           achtend;

Und er begrüſst unwiſſend uns ſelbſt mit freund-
           lichen Worten:

     Raſch, ihr Männer, geeilt! Was doch für ſäu-
           mende Trägheit

Lähmt euch? Andere raffen und tragen hinweg die
           entflammte

Pergamos; ihr da entſteigt nun erſt hochbordigen
           Schiffen!

375   Sprachs; und ſofort (denn es kam nicht Ant-
           wort, welche genug ihn

Sicherte) merkt' er ſich ſelbſt in umzingelnde Feinde
           gefallen.

Plözlich erſtaunt blieb jener, an Fuſs und an Stimme
           gehemmet.

Wie wer im ſtachlichten Dorne die unvermutete
        Natter

auf den Boden geftemmt, und in ängftlicher-Eile
zurükfloh,

rend fie Drohungen hob, und mit bläulichem
Half' emporfchwoll: 380

entzitterte dort Andrógeos fcheu vor dem Anblick.

wir ftürzen hinan mit dicht umftrömenden
Waffen,

die Erftarrten in Furcht, und des Orts Unkundi-
gen ringsum

ken wir hin. So lächelt das Glück dem Beginne
der Arbeit.

Jezt des Erfolgs frohlockt mit feurigem Mute
Koröbus: 385

o zuerft, ihr Freunde, das Glück uns, ruft er, des
Heiles

bahn zeigt, wo es günftig Gedeihn ankündiget,
folgt ihm!

die Schilde vertaufcht, und der Danaer Krieges-
gefchmeid' uns

efügt! Lift oder Gewalt, wer forfcht das am
Feinde?

fen verleihen fie felbft! — So redet er; dann mit
dem Rofsbufch   390

, des Andrógeos Helm, und des Schilds auszeich-
nenden Feldfchmuck,

et er an, und hängt das argivifche Schwert an die
Hüfte.

peus auch, und Dymas zugleich, und die fämtliche Jugend

onet fich froh, und fchlüpft in die frifch erbeutete
Rüftung.

395 Wir durchgehn der Pelasger Gewühl, unbegleitet von
　　　　　　　　Gottheit;

Und viel blutige Kämpf', in blinder Nacht uns be-
　　　　　　　gegnend,

Heben wir an, und fenden der Danaer viele zum
　　　　　　Orkus.

Andere fliehn zu den Schiffen hinab, und ereilen des
　　　　　　Meeres

Sicheren Strand; felbft mancher erklimmt, vor fchmäh-
　　　　　licher Zagheit,

400 Wieder das mächtige Rofs, und birgt fich im trau-
　　　　　lichen Schoofse.

Ach vertraue dem Schuz unwilliger Götter doch nie-
　　　　　mand!

　　Siehe, gefchleppt ward jezo des Priamus Tochter
　　　　　　Kaffandra,

Fliegend das Haar, vom Tempel und Heiligthum der
　　　　　Minerva,

Hoch zum Himmel gewandt die brennenden Augen,
　　　　　vergebens:

405 Augen allein; denn es hemmte die zärtlichen Hände
　　　　　die Feffel.

Nicht trug, folches zu fchaun, in rafender Seele
　　　　　Koröbus,

Und ein Verzweifelnder fprang er zum Tod' in die
　　　　　Mitte des Zuges.

Alle wir rennen ihm nach in das dichtefte Waffen-
　　　　　getümmel.

Hier umftürmt uns zuerft vom erhabenen Dache des
　　　　　Tempels

410 Unferer Freunde Gefchofs, und klägliches Morden er-
　　　　　hebt fich,

der Waffen Geſtalt ſie irrt' und der grajiſche
　　　　　Helmbuſch.
auch die Danaer zürnen, im Schmerz der ent-
　　　　　riſſenen Jungfrau,
ings wüten geſchaart ſie heran: der verwegene
　　　　　Ajax,
ı Doppelgeſchlecht, und der Doloper ganzes
　　　　　Geſchwader.
venn gewandt auf einander die Wind' aus ber-
　　　　　ſtendem Wirbel　　　　　　　　415
ſen, mit Zefyrus Notus zugleich, und von öſt-
　　　　　lichen Roſſen
geführt; laut ſauſet der Wald, und es tobt mit
　　　　　dem Dreizack
s umſchäumt, und erregt aus dem unterſten
　　　　　Grunde die Meerflut.
ſogar, die wir im dunkelen Schatten der Nacht
　　　　　wo
chten mit unſerem Trug', und umher durch die
　　　　　Veſte verjagten,　　　　　　　　420
ıen hervor; und zuerſt erkennen ſie unſre ge-
　　　　　fälſchten
n und Schild', und bemerken den Ton mishelli-
　　　　　ger Rede.
vorbei! uns umſchüttet die Zahl. Koröbus zu-
　　　　　erſt nun,
ı Penéleos Hand, am Altar der gewapneten
　　　　　Göttin,
t in Blut; es erliegt Rhipeus, der Gerechteſte
　　　　　vormals　　　　　　　　425
im teukriſchen Volk, und zumeiſt auf Billigkeit
　　　　　achtend.

　　　　　6*

Anders der Götter Beſchluſs! Auch Hypanis ſanken
und Dymas,

Niedergebohrt von Genoſſen; auch dich hingleiten-
den, Panthus,

Schützte die Frömmigkeit nicht und der heilige
Schmuck des Apollo.

430 Aſche der Ilierſtadt, und endende Flamme der
Meinen,

Zeugt, wie bei euerem Fall ich weder Geſchoſs noch
die Wechſel

Mied des Danaerkampfs; wie ſehr, wenn Geſchick es
vergönnet,

Daſs ich ſänk', es verdient mein Arm! Los reiſsen
wir jezt uns,

Iſitus mit, und Pelias mit, (ob ſchwer auch von
Alter

435 Iſitus geht, und Pelias ſchwer von Ulyſſes Verwun-
dung),

Stracks dorthin, wo Geſchrei zu Priamus Wohnung
uns abruft.

Dort nun welch ein Getümmel des Kampfs, als
waltete nirgend

Sonſt der Krieg, als ſänk' in der Stadt ſonſt keiner
dem Tode,

So unbändigen Grimm, und zum Hauf' anſprengende
Grajer,

440 Schauen wir, und um die Schwelle den Sturm des
ziehenden Schilddachs!

Leitern haften gelehnt an die Wänd', auch unter die
Pfoſten

Strebt man die Stufen hinan; abwehrende Schild' an
den Linken

man dem Wurfe gedeckt, und ergreift mit den
        Rechten die Giebel.

: die Dardaner ringen, die Thürm' und der Woh-
        nungen Dächer

urütten umher; hiermit, da das Ende fie ab-
        fehn,   445

hten fie, als mit Gefchofs, fich im äufserften Tode
        zu wehren.

ı goldftralende Balken, die Pracht uralter Er-
        zeuger,

ɪt man herab; doch andre vertheidigen unten den
        Eingang,

kenden Stahl vorftreckend, und ftehn in gedränge-
        ter Heerfchaar.

jezt hebt fich der Mut, den Palaft zu fchirmen
        des Königs,   450

mit erleichternder Hülfe die Kraft der Befiegten
        zu ftärken.

Schwell' und heimliche Thüre war dort, ein
        häuslicher Durchgang,

des Priamus Zimmer verband, und verborgene
        Pfoften

ɪerwärts: durch welche vordem, als blühte die
        Herfchaft,

e Geleit die arme Andromache oft zu den Schwä-
        hern   455

gte zu gehn, und dem Ahnen das Kind Aftyanax
        hinzog.

t nun fteig' ich hinauf zum Giebel des oberften
        Daches,

ihr eitles Gefchofs herwarfen die elenden
        Teukrer.

Jäh empor stand schwindelnd ein Thurm, auf der
Spize der Wohnung

460 Hoch zu den Sternen geführt, woher ganz Troja gesehn ward,

Auch der Danaer Schiff', und weit das achajische
Lager:

Den, mit umwühlendem Eisen genaht, wo das obere
Stockwerk

Wackelnde Fugen gewährt', entrüttelten wir dem erhabnen

Stand', und drängten ihn fort; der gelockerte sinket,
und plözlich

465 Kracht er im Sturz, und herab auf der Danaer Tau-
sende weithin

Schmettert' er. Doch zum Ersaz drohn andere. Weder Gestein auch

Rastet indefs, noch was irgend Geschofs
ward . . .

Selber am Eingang nun und der vorderften
Schwelle, da stolzet

Pyrrhus einher, von Geschossen und ehernem Schimmer umleuchtet:

470 Wie wenn ans Licht die Schlange, mit schädlichem
Kraute genähret,

Die in der Erde geschwollen den Frost ausharrte des
Winters,

Jezo, der Hüll' entkleidet, und neu im Glanze der
Jugend,

Mit aufstrebender Brust herrollt den schlüpfrigen
Rücken,

Bäumend zur Sonn', und dem Maul dreispaltige Zungen entschimmern.

fas trozet gefellt, Autómedon auch, des Achilles   475

ker und Waffengenofs, und ganz die fcyrifche
Jugend,

zum Palaft andringen, und Glut aufwerfen zum
Giebel.

r den Erften er felbft, mit ergriffener Barte,
durchfchmettert

h die gediegenen Schwellen, und wühlt aus der
Angel die Pfoften,

r von Erz; nach zerhacktem Gebälk nun höhlt er
der Bohlen   480

s Verfchlofs, und öfnet die weit aufgaffende
Mündung.

fteht drinnen das Haus, und hell die langen Ge-
mächer,

einft Priamus weilt' und die Könige grauender
Vorzeit;

Wehrtragende fchaut man geftellt an der Schwelle
des Eingangs.

· das innere Haus durchftürmt Wehklagen und
Aufruhr   485

nervoll; tief hallet im Inneren hohler Ge-
mächer

liches Trauergeheul; zu den goldenen Sternen
erfchallt Lerm.

er in Angft durchirren die ungeheueren
Säle,

n die Pfoften umarmt, und ruhn mit gehefteten
Küffen.

hus drängt mit des Vaters Gewalt; nicht Riegel,
und felbft nicht   490

Hemmen die Hüter fortan. Von dem häufigen St
                    des Widders
Wackelt die Pfort', und es ftürzen gefprengt aus del
                    Angel die Pfoften:
Durchgang bahnt die Gewalt; ein bricht, und ermor
                    det die Erften,
Stürmender Danaer Schwarm; und rings von Gewap
                    neten wimmelts.
495 Nicht fo, wann hochfchäumend der Strom aus gebro
                    chenen Dämmen
Austrat, und mit Geftrudel des Baus Abwehren be-
                    fiegte,
Rollt er in Wut auf die Ebnen gedrängt, und durch
                    alle Gefilde
Raffet er Ställ' und Heerden hinweg. Neoptolemus
                    fah ich
Selbft, wie er tobte zum Mord, und des Atreus Söhn'
                    an der Schwelle;
500 Hekuba fah' ich, und hundert der Schnür', und Pria-
                    mus blutend
Auf   dem   Altar   entweihen   die   felbftgeweiheten
                    Feuer.
Funfzig Ehegemächer, die blühende Hofnung der
                    Enkel,
Mit barbarifchem Gold' und Siegsraub prangende
                    Pfoften,
Sanken dahin; es beherfcht, was Feuer verfchont, der
                    Argiver.
505   Auch   fein Schickfal vielleicht, des Priamus,
                    möchteft du forfchen.
Als der eroberten Stadt Umfturz, und zerrüttet der
                    Wohnung

ellen er fah, und gedrungen den Feind in die
       innerften Kammern;
et er Waffen, der Greis, um die kraftlos beben-
       den Schultern,
ft entwohnete Waffen, umfonft; mit dem Stahle
       der Ohnmacht
et er fich, und rennt, wie' zum Tod', in die dich-
       teften Feinde.   510
m im Raum des Palaftes, dem kreifenden Äther
       geöfnet,
l ein grofser Altar, und zunächft ein gealteter
       Lorber,
   zum Altare geneigt, mit Schatten umfing die
       Penaten.
iba hier und die Töchter, umfonft um des Heer-
       des Erhöhung,
aus nachtendem Sturme mit Angft herfchiefsende
       Tauben,   515
m dicht fie gedrängt, und der Ewigen Bilder um-
       faffend.
i da fie Priamus felbft in des Jünglinges Waffen
       gerüftet
uete: Welch ein Gedanke des Grauns, unglück-
       licher Gatte,
lich zu gürten in Wehr? O wohin doch fchwär-
       meft du? rief fie.
i, nicht folcherlei Hülf' und folche Vertheidiger
       fodert   520
i die Zeit; nein, ob er auch felbft da wäre, mein
       Hektor!
her rette dich doch! der Altar wird alle be-
       fchirmen;

Oder wir fterben zugleich! — So rufte fie laut, und

empfing ihn

Neben fich, und fezte den Greis an die heilige

Stätte.

525   Aber o fchau, wie entfchlüpfend aus Pyrrhus

Morde Polïtes,

Einer von Priamus Söhnen, daher durch Gefchoffe,

durch Feinde,

Flieht in gefeuleten Hallen entlang, und verödeten

Sälen,

Triefend von Blut. Ihn verfolgt mit zuckender

Wunde des Todes

Pyrrhus entbrannt; gleich hält ihn fein Arm, gleich

drängt' er den Speerftofs.

530 Als er zulezt vor die Augen entrann und das Antliz

der Eltern,

Sank er dahin, und verftrömte mit vielem Blute das

Leben.

Priamus jezt, obgleich fchon finfterer Tod ihn um-

ringet,

Doch nicht hielt er fich länger, der Stimm' und des

Zornes zu fchonen.

Ha! dir Scheufal, rufet er aus, unmenfchlicher

Frevler,

535 Müffen, wenn Huld im Himmel noch wohnt, die fol-

ches beachtet,

Würdigen Dank die Götter verleihn, und Lohn dir

erwiedern,

Der dir gebührt! du, welcher des Sohns Austilgung

mich felbft hier

Anfchaun liefs, und dem Vater durch Mord entweihte

das Antliz.

:h nicht jener, von dem du erzeugt dich lügeſt,
        Achilles

ıt an Priamus alſo, dem Feind; Scheu trug er und
        Ehrfurcht   540

r demütigem Flehn, und gab den verbluteten
        Leichnam

ktors wieder der Gruft, und entſandte mich ſelbſt
        in die Herſchaft.

    Alſo zürnte der Greis, und warf ohnmächtiges
        Schwunges

n wehrloſes Geſchoſs, das ſofort vom dumpfigen
        Erze

ıllt', und gelähmt dahing an des Schilds vorragen-
        dem Nabel.   545

    Pyrrhus darauf: So melde denn dies, und wan-
        dre mit Botſchaft

ı zu dem Vater Achilles! Bedenk' ihm alle den
        Frevel

nes entarteten Sohns Neoptolemus treu zu ver-
        künden!

o ſtirb! — So ſprach er, und flugs den Erzittern-
        den raft' er

ı zum Altar, wie er ſchwankt' in vielem Blute des
        Sohnes;   550

cht in die Linke das Haar, mit der andern hub er
        das blanke

ırdſchwert, und bis zum Hefte hinab in die Seite
        verbarg ers.

    So war Priamus leztes Geſchick, ſo führte zum
        Ausgang

ı ſein Loos, der Troja in Brand, und niedergeſtürzt
        ſah

555 Pergamus; der, ſo viel einſt Land' und Völker bel
    ſchend,

Aſia's Obmacht trug! Groſs liegt am Geſtade
    Leichnam,

Rumpf und Haupt, von der Schulter getrennt, ι
    kennbar und namlos.

 Mich nun wahrlich zuerſt umdrang ein entſ
    licher Schauer;

Und ich erſtaunt', und dachte das Bild des trauteſ
    Vaters,

560 Als ich an grauſamer Wunde den ihm gleichaltrig
    König

Sah auшhauchen den Geiſt; und das Bild der verlɪ
    nen Krëuſa,

Auch das geplünderte Haus, und das Loos des kleiι
    Iulus.

Rückwärts ſchau' ich, zu ſpähn, was noch um m
    für Gewalt ſei.

All' entzogen ſich müde dem Kampf, theils ſpranι
    ſie mutlos

565 Nieder zur Erd', und theils mit verzweifelnd
    Schmerz in die Flammen.

 Schon war dort ich übrig allein, da die Schwɪ
    der Veſta

Hütend und ſtill im Schuz des geſonderten Ortes
    bergend

Tyndarus Tochter erſchien; denn die ſtralende L
    des Brandes

Leuchtete mir, der ich irrt', und das Aug' allſe
    umhertrug.

570 Jene, die feindlichen Grimm um Pergamus Sturz
    den Teukrern,

Auch der Danaer Straf', und den Zorn des verlaſſe-
        nen Gatten,
Fürchtete, ſie Fluchgöttin für Troja zugleich und die
        Heimat,
Hatte ſich heimlich entfernt, und ſaſs, den Altären ein
        Abſcheu.
Raſch entbrennt mir die Seele von Glut; und ich
        eifre zu rächen
Unſer gefallenes Reich in des frevelnden Weibes Be-
        ſtrafung.   575
Dieſe fürwahr ſoll Sparta noch ſchaun und Mycene
        die Heimat,
Ganz unverlezt, und in nahem Triumf als Königin
        wandeln?
Ehbund ſoll ſie noch ſehen und Haus, und Väter und
        Kinder,
Stolz in troiſcher Fraun und phrygiſcher Knechte
        Begleitung?
Priamus läge vom Stahle gewürgt? auf loderte
        Troja?   580
Blutvoll hätte ſo oft dardaniſches Ufer geſtrö-
        met?
Nicht alſo! denn obgleich nicht gar denkwürdigen
        Namen
Weibliche Strafe gewährt, und arm an Lobe der
        Sieg iſt;
Dennoch das Greuel getilgt, und beſtraft zu haben,
        wie billig,
Unfug, werd' ich gelobt! auch das Herz in glühender
        Rachgier   585
Sättigen, bringt Labſal, und die Aſche der Meinigen
        ſühnen!

Alſo ſtürmte die Seel', und ich flog, wie
des Mutes:

Als mir hell, wie nimmer zuvor, ſich dem Auge
ſehen

Bot, und in lauterem Lichte die Nacht d
die Mutter,

590 Herlich und hehr, als Göttin, wie ſchön ſie den Himmliſchen jemals,

Und wie hoher Geſtalt ſie erſcheint. An der Rechten
mich faſſend,

Hemmete jen', und freundlich mit roſigem Munde
begann ſie:

Sohn, wie ſo heftiger Schmerz empört unbändigen Zorn dir?

Was ſo getobt? und wohin iſt die Sorge für uns dir
entflohen?

595 Willſt du zuvor nicht ſchaun, wo matt von laſtendem
Alter

Blieb dein Vater Anchiſes? ob lebt die Gemahlin
Krëuſa,

Auch ob Askanius lebt? Sie all' umwühlet der
Grajer

Schlachtengewühl ringsher; und wenn nicht meine
Beſchirmung

Waltete, raſte die Flamme bereits, und vertilgender
Mordſtahl.

600 Nicht die verhaſste Geſtalt der Lakonerin, Tyndarus
Tochter,

Noch der geſcholtene Paris; o nein, ungütige
Götter,

Götter zerſtörten die Macht, und ſchmetterten Troja
vom Gipfel,

u umher! denn alles Gewölk, das jezo verdun-
kelnd

den sterblichen Blick abstümpft, und mit dunsti-
gem Nebel

umflort, entreiss' ich dem sehenden. Du, uner-
schrocken,   605

der Mutter Befehl, und leist' ihr willig Gehor-
sam.

, wo zertrümmerte Lasten des Baus, und von
Felsen gerissne

m du siehst, und wogen mit wirbelndem Staube
den Rauchdampf,

st Neptunus die Mauren, und hebt mit gewaltigem Dreizack

erüttete Gründ', und die sämtliche Stadt aus dem
Lager   610

lt er empor. Dort wütet, gestellt auf dem skäi-
schen Thore,

voran, und wild den verbündeten Schwarm von
den Schiffen

sie umgürtet mit Stahl . . .

n auf den Zinnen der Burg, schau her, wie Tritonia Pallas

htend droht mit hellem Gewölk und entsezlicher
Gorgo.   615

entflammt die Achajer mit Mut und helfenden
Kräften

er; selbst erregt er auf Dardanerwaffen die
Götter.

, o beschleunige Flucht, und stell' ein Ende der
Arbeit.

Nirgend entbehrt, werd' ich ficher zur Vaterfchwelle
     dich leiten.

620 . . Venus fprachs, und verfchwand in der Nacht
     tieffchattendes Dunkel.

Sieh, Erfcheinungen drohn graunvoll, und Mächte der
     Götter,

Feindlich dem troifchen Volk . . .

Jezo fürwahr fchien ganz mir hinabzufinken in
     Feuer

Ilium, und aus dem Grunde gewühlt die neptunifche
     Troja:

625 Wie, wenn hoch in Gebirgen die ftattlichfte Orne der
     · Vorzeit

Rings mit Eifen umhaun und häufigen Äxten, und
     eifernd

Jezt aus der Erd' aufwühlen die Ackerer, wie fie be-
     ftändig

Droht, und erbebt an den Äften, und nickt mit tau-
     melndem Wipfel;

Bis, von entwurzelnden Wunden befiegt allmählich,
     noch einmal

630 Laut fie erfeufzt, und fchmetternd, den Höhn entrot-
     tet, hinabkracht.

Nieder fteig' ich, von Gottheit geführt, und durch
     Flammen und Feinde

Geh' ich einher; Raum beut das Gefchofs, und die
     Flammen entdrehn fich.

Aber nachdem ich zur Schwelle der Vaterwoh-
     nung gelangt war,

Und zum bejahrten Palaft, und ich hoch in die Berge
     zu retten

nfchte den Vater zuerft, und zuerft auffuchte den
    Vater;   635
igert er fortzuleben, da Troja niedergeftürzt
    lag,
l in Verbannung zu gehn. Ihr! rufet er, denen
    das Blut noch
endlich ift, und geftrengt in eigener Stärke die
    Nerven,
da berathet die Flucht! . . .

nn die Unfterblichen mir ein längeres Leben ge-
    ordnet;   640
tten fie wol mir erhalten das Haus. O genug und
    zu vieles
ich an einer Zerftörung, und blieb der eroberten
    Stadt nach!
fo leget den Leib, und: Friede dir! faget zum
    Abfchied.
bft mit der Hand mir find' ich den Tod. Auch
    der Feind, fich erbarmend,
rd nur nehmen die Wehr. Leicht ift der Verluft
    der Beftattung.   645
on vorlängft, ein Verhafster den Ewigen, frift' ich
    die Jahre
mmerlich; feit mich der Götter und Sterblichen
    Obergebieter
t anwehendem Strale gerührt, und der Flamme des
    Donners.
    Alfo fprach er gefafst, und beharrete drob uner-
    fchüttert.
ch wir Thränenden flehn, ich felbft und die Gattin
    Kreüfa,   650

Auch Askanius fleht, und das Haus rings, dafs er nicht
    alles

Mit ausrotte, der Vater, und ftreb' in das drängende
    Schickfal.

Jener verfagt, und befteht, im Entfchlufs und im Orte
    geheftet.

    Wieder zum Kampf entftürm' ich, den Tod mir
      Elenden fuchend.

655 Denn welch anderer Rath, und welches Gefchick noch
    erbot fich?

Ha, zu entheben vermöcht' ich den Fufs, dich, Vater,
    verlaffend?

Hofteft du das? So Finftres entfank dem Munde des
    Vaters?

Soll nach der Götter Entfchlufs nichts mehr von der
    mächtigen Stadt fein,

Und feft haftet der Sinn, du gefellft der zerfallenden
    Troja

660 Dich und die Deinen mit Luft; dem Tod ift geöfnet
    der Zugang!

Bald von dem ftrömenden Blute des Priamus nahet
    fich Pyrrhus,

Der vor dem Vater den Sohn, am Altar abfchlachtet
    den Vater!

Das wars, göttliche Mutter, warum durch Gefchoffe,
    durch Feuer,

Du mich entraft, dafs ich mitten den Feind in den
    innerften Kammern,

665 Dafs ich Askanius hier, und den Vater zugleich, und
    Krëufa,

Abgewürgt den einen im Blute des anderen,
    fähe?

ffen mir her, bringt Waffen! uns ruft der befie-
gende Tag ab!
nner, zurück in den Kampf! lafst wieder mich
fchaun die gedrängten
aaer! Nie doch finken wir all' ungerächet dem
Tode!
Wieder mit Stahl umgürt' ich den Leib, und,
gefafst in der Linken,   670
ngt mir am Arm der Schild; und fort aus den
Wohnungen ftürm' ich.
he da fchlang um die Füfse fich mir an der
Schwelle die Gattin,
gefchmiegt, und zum Vater erhob fie den kleinen
Iulus.
Wenn du zu fterben enteilft, o nim zu allem
auch uns mit!
:h wenn genommenen Waffen du kundiger etwas
vertraueft,   675
irme zuerft dies Haus! Wem bleibt dein kleiner
Iulus,
m dein Vater zurück, und die einft Gattin du
nannteft?
Alfo jammerte fie, mit Gefchrei rings füllend die
Wohnung;
fich plözlich erhub ein feltfam lautendes
Wunder.
m uns zwifchen den Händen, im Anblick trauren-
der Eltern,   680
he da fcheint leicht her von der oberen Scheitel
Iulus
zig zu leuchten ein Glanz; und rings, unfchädlich
berührend,

7 *

Leckt um die weichlichen Locken die **Flamm'**, und
umwallet dië Schläfen.

Wir die Erschrockenen zittern vor Angſt, und das
brennende Haupthaar

685 Schütteln wir aus, und löſchen mit Flut die heiligen
Feuer.

Aber der Greis Anchiſes erhob zu den Sternen die
Augen,

Fröhliches Muts, und ſtreckte die Händ' ausrufend
gen Himmel:

Jupiter, o wenn dich ein Gebet, Allmächtiger,
rühret;

Schau uns an! Nur dieſes! Und macht uns Frömmigkeit würdig;

690 Gieb doch Hülf', o Vater, und kräftige ſolche Verkündung!

Kaum hatt' alles geredet der Greis; und mit
plözlichem Krachen

Donnert' es links einher, und hoch vom Himmel die
Nacht durch

Schoſs ein feuriger Stern mit hell nachziehendem
Glanze.

Ihn, der über das Dach des erhabenen Hauſes hin-
wegfuhr,

695 Sehen wir klarumſtralt im idäiſchen Walde ſich
bergen,

Und hell zeichnen die Bahn, denn die quer hinſtrei-
fende Furche

Leuchtet entlang, und rings die Gegenden dampfen
von Schwefel.

Jezo hebt er beſiegt ſein Haupt zu den Lüften, der
Vater,

Ruft die Himmlifchen an, und grüfst dem hehren
Geftirn nach:

Nun nicht länger gefäumt! ich folg' euch, Götter
der Väter,   700

Wo ihr auch führt! Erhaltet das Haus, erhaltet den
Enkel!

Euer ift jenes Geficht; und in eueren Winken ift
Troja!

Wohl denn! ich folge dir, Sohn, und gefellt dir geh'
ich nicht ungern.

Jener fprachs; und lauter bereits fchallt Flam-
mengeprafsel

Durch die Gebäud', und es nahn heifswogende Gluten des Brandes.   705

Theuerfter, jezo wohlan! auf den Nacken mir
feze dich, Vater!

Selber biet' ich die Schulter der Laft; nicht müdet
die Arbeit!

Wie auch falle das Loos, doch ein' und diefelbe Gefahr ift,

Doch ein Heil ift beiden gewährt. Mein kleiner
Iulus

Gehe gefellt an der Hand, und fernher folge die
Gattin.   710

Ihr, o Genoffen des Haufes, vernehmt, was ich fage,
mit Sorgfalt.

Aufser der Stadt ift ein Hügel, worauf ein bejahrterer
Tempel

Steht der verlaffenen Ceres, und nah' ein alter Cy-
prefsbaum,

Defs in heiliger Furcht Jahrhunderte fchonten die
Väter.

715 Dorthin wollen wir all' auf verfchiedenen Wegen uns
  fammeln.

Trag' in der Hand, du o Vater, das Heilige, famt den
  Penaten.

Mir, der aus blutigem Streit herkommt und frifcher
  Ermordung,

Ift fie zu faffen verwehrt, bevor mich lebende
  Waffer

Abgefpült.

720   Alfo fprach ich, und, neigend den Hals und die
    mächtigen Schultern,

Breit' ich darauf ein Gewand und die Haut des gelblichen Löwen,

Trete dann unter die Laft. Rechts fchmiegt mein kleiner Iulus

Sich an die Hand, und begleitet mit kürzerem Schritte
  den Vater;

Nachwärts folget das Weib. Durch Orte der Finfter-
  nifs gehn wir.

725 Und mich, welchen noch jüngft kein fliegender Sturm
  der Gefchoffe

Kümmerte, oder entgegen getummelte Schaaren der
  Grajer,

Schreckt nun jedes Gefäufel der Luft, regt jedes Geräufch auf,

Dafs ich im Gang' oft ftuze, für Bürde beforgt und
  Begleitung.

  Und fchon naht' ich den Thoren der Stadt, und
    fchien mir des Weges

730 Schreckniffen allen entflohn; da ein plözlicher Laut
  zu den Ohren

ch wie von kommenden Tritten erfcholl, und der
     Vater, im Dunkel

hend: O Sohn, ausrief, o entfleuch, Sohn! fchaue,
     da nahn fie!

kelnde Schild' und der Erz' anzuckende Schim-
     mer erkenn' ich! —

nun, ich weifs nicht welch' unfreundliche Götter
     entrückten

nell den verworrenen Geift mir Erzitternden!
          Denn da ich abwegs   735

ke den Lauf, ausbeugend bekannterem Raume der
          Gaffen,

b mir Armen das Weib, ob entraft vom Schick-
     fal, Krëufa

b mir zurück, ob vom Wege verirrt, ob müde
     fich fezend,

   wer weifs! Nie ferner erfchien fie unferen
          Augen!

h nicht wandt' ich den Blick zur Verlorenen,
          noch die Befinnung,   740

   den Hügel und Siz der alterthümlichen
          Ceres

m wir erreicht. Hier endlich, wie alle fich fam-
     melten, fehlet

allein, die Genoffen und Sohn und Gatten be-
     trübend.

ı nicht klaget' ich an, fo Gott als Sterblichen,
     finnlos?

   in der fallenden Stadt, o was Graufameres
          fah ich?   745

ıren Sohn, und Anchifes den Greis, und die
     Teukrerpenaten

Geb' ich den Freunden zur Hut, im gewundenen
　　　　　·Thale fie bergend;
Selber enteil' ich zur Stadt, und gürte mir leuchtende
　　　　　Wehr um.
Feft bleibts, alle Gefahr zu erneun, durch alle Ver-
　　　　　wüftung
750 Troja's wieder zu gehn, und das Haupt zu bieten dem
　　　　　Unheil.
　　　　　Flugs zu den Mauren zuerft und der dunkelen
　　　　　Schwelle des Thores
Eil' ich, wodurch ich gekommen, zurück, und folge
　　　　　gewendet
Jeder beachteten Spur durch die Nacht, mit forfchen-
　　　　　dem Blicke.
Grauen dem Geift ringsher; auch die Still' ift felber
　　　　　entfezlich.
755 Dann zu dem Hauf', ach wäre vielleicht, ach wäre
　　　　　fie drinnen!
Wander' ich. Voll war ganz vom Danaerfchwarme
　　　　　die Wohnung.
Alles vorbei! Es erfteigt die gefräfsige Flamme den
　　　　　Giebel,
Rollend im Wind'; hoch ftrudelt die Loh', und brau-
　　　　　fet zur Luft auf.
Vorwärts geh' ich, und fchaue die Burg und Priamus
　　　　　Palaft.
760 Schon in verödeten Hallen am Heiligthume der
　　　　　Juno
War als Hut mit Phönix beftellt der graufe
　　　　　Ulyffes,
Dafs fie bewahrten den Raub. Ringsher alttroifcher
　　　　　Reichthum,

Schäze, den brennenden Tempeln entraft, und Tifche
der Götter,
Krüg' aus lauterem Gold', und erobertes Feiergewand
wird
Aufgehäuft. Auch Knaben und zagende Mütter um-
her ftehn   765
Langgereiht. . . .

Tollkühn wagend fogar den Laut zu erheben im
Dunkel,
Füllt' ich die Gaffen entlang mit Gefchrei, und trau-
rig Krëufa
Rief umfonft von neuem und ftets von neuem mein
Ausruf.
Während ich fucht', um die Häufer der Stadt unge-
bändiget rafend;   770
Schien der Elenden Bild, und die eigne Geftalt der
Krëufa,
Mir vor den Augen zu ftehn, in höherem Wuchfe,
denn vormals.
Und ich erftaunt', auf bäumte das Haar, und es ftockte
der Laut mir.
Sie nun redete fo, die tröftenden Worte begin-
nend:
Was ift fo unmäfsig dem Schmerz nachhangen
für Labfal,   775
O mein füfser Gemahl? Nicht ohn' obwaltende
Götter
Traf dies ein! Nicht follte von hier mitgehen
Krëufa!
Nein, dir verfagts das Gefchick, und der Gott des
hohen Olympus!

Ferne Verbannungen nun, unermefsliche Wogen
　　　durchpflügft du,
780 Bis du Hesperia findeft, das Land, wo ein Lydier
　　　fette
Männergefilde durchrollt, fanftwallendes Zuges, der
　　　Thybris.
Dort wird heiteres Glück, Herfchaft, und fürftliche
　　　Gattin,
Dir zum Loos. Nicht länger geweint um die theure
　　　Krëufa!
Nicht ja der Myrmidonen und Dóloper ftolze Be-
　　　fizung
785 Werd' ich fchaun, noch zum Dienfte der grajifchen
　　　Mütter hinweggehn,
Dardanus Tochter, und Schnur der Idalia! . . .

Nein, mich hemmet alhier die erhabene Mutter der
　　　Götter.
Lebe nun wohl, und erhalte des Sohns, des gemein-
　　　famen, Liebe!
　　Als fie die Worte gefagt, und ich weint', und
　　　vieles zu reden
790 Trachtete, floh fie hinweg, und verfchwand in we-
　　　hende Lüfte.
Dreimal ftrebt' ich hinan, um den Hals ihr die Arme
　　　zu fchlingen;
Dreimal vergeblich gehafcht entfloh aus den Händen
　　　das Bildnis,
Wie leichtwehende Wind', und geflügeltem Schlafe
　　　vergleichbar.
Alfo fchwand mir die Nacht, und zurück zu den Mei-
　　　nigen kehr' ich.

Neue Gefährten dafelbſt in unermeſslicher An-
zahl   795

l' ich zufammengeftrömt mit Bewunderung, Mütter und Männer,

nd, gefammelt zur Flucht, ein erbarmungswer-
thes Gewimmel.

ʒsher drängeten jene, mit Mut und Habe ſich bie-
tend,

cherlei Land' ich auch immer im Meer auffuchte
zum Anbau.

ɔ entftieg glanzvoll den erhabenen Spizen des
Ida   800

ifer, führend den Tag; und die Danaer hielten
umlagert

: Thor', und verfagt war jegliche Hofnung des
Heiles.

ichend dem Loof', erhub ich und trug zum Ge-
birge den Vater.

ÄNEÏS.

R-ITTER GESANG.

INHALT.

Ä N E Ï S.

D R I T T E R G E S A N G.

_____

s num Afia's Macht und das Volk des Priamus
schuldlos

zurotten gefiel den Unfterblichen, als die erhabne

s fank, und in Schutt aufdampft die neptunifche
Troja;

ıe Verbannungen jezt und verlaffene Lande zu
fuchen,

bt uns hinweg der Götter Verkündigung; und
wir erbaun uns   5

er Antandros die Flott' und den Höhn des phry-
gifchen Ida,

ıfelnd, wohin das Gefchick uns trag', und wo Ruhe
vergönnt fei;

. wir verfammeln die Schaar. Kaum war im Beginne der Sommer,

: Anchifes befahl dem Gefchick zu entfalten die
Segel;

ich die heimifchen Ufer bethränt und die Hafen
verlaffe,   10

Und das Gefild', einſt Troja genannt.   Landflüchtig
        entſegl' ich,
Auch die Genoſſen, der Sohn, obwaltende Mächt',
        und Penaten.
      Fern iſt ein Land, weiträumig an Flur, und ge-
        weihet dem Mavors,
Thracier bauns, vormals das Gebiet des Tyrannen
        Lykurgus:
15 Troja's Volke von je Gaſtfreund', und verbundne Pe-
        naten,
Weil noch währte das Glück. Hier jezt am krummen
        Geſtade
Gründ' ich Mauren zuerſt, mit feindlichem Schickſal
        gelandet;
Äneaden benemm' ich vom eigenen Namen die
        Bürger.
      Opfer bracht' ich nunmehr der dioniſchen Mut-
        ter und andern
20 Vorbedeutenden Mächten des Baus, und ſchlachtet'
        am Ufer
Einen glänzenden Stier dem erhabenen König des
        Himmels.
Nahe dabei war ein Hügel,   worauf Kornellen-
        geſträuche
Wucherten, und mit Schaften gedrängt aufſtarrte die
        Myrte.
Dorthin wandt' ich den Schritt; und indem ich grü-
        nende Waldung
25 Rang aus der Erde zu drehn, um in Laub die Altäre
        zu hüllen,
Seh' ich die gräſsliche Schau des ſeltſam lautenden
        Wunders.

nn wie zuerſt ich im Boden den Strauch aus zer-
riſſenen Wurzeln

ttele, fleuſst an jenem das Blut in dunkelen
Tropfen,

d es befleckt mit Verweſung das Land. Ein er-
kältender Schauder

ſt mein Gebein, und es ſtarrt von froſtigem Schrecken das Herzblut.   30

uf dem anderen auch das ſchwanke Geſproſs zu
entrütteln,

t' ich hinzu, um völlig den Grund zu erkennen
des Wunders;

ſh dem anderen dringt ſchwarztropfendes Blut aus
der Rinde.

ruhvoll und beſtürzt, verehr' ich die ländlichen
Nymfen,

d, der den getiſchen Fluren gebeut, den Vater
Gradivus;   35

's ſie zum Heil umlenken die Schau, und die Drohungen mildern.

ꝛr ſobald ich zum dritten mit mehr Anſtrengung
den Schöſsling

zieh', und mit den Knieen geſtemmt anringe dem
Sande:

eld' ich es, oder verſtumm' ich?) ein Jammerge-
tön aus dem Hügel

gt von unten herauf, und es ſchallt zu den Ohren
der Ausruf: 40

Wehe, warum mich, Äneas, zerfezeſt du? Schone
des Todten!

on', unfromm zu entweihen die Hand! Nicht
wuchs ich in Troja

Dir ein Fremdling empor, noch rinnt dies Blut aus
    Gehölze.

Fleuch die graufamen Land', o fleuch dies geizige
    Ufer!

45 Denn Polydorus bin ich! Hier barg mich durchbo-
    render Waffen

Eiferne Saat, die keimend aus fpizigen Lanzen er-
    grünte.

    Jezo von Schrecken und Angft in zagender Seele
    bewältigt,

Stand ich erftaunt; auf bäumte das Haar, und es
    ftockte der Laut mir.

    Seinen Sohn Polydorus, mit köftlichem Schaze
    des Goldes,

50 Sendete Priamus einft ingeheim zu erziehen, der
    Arme,

Thracia's Könige hin, da er fchon mistraute den Waf-
    fen

Ilions, und er umringt von Belagerung fahe die
    Mauern.

Der, wie das teukrifche Reich hinfank, und das Glück
    fich entwandte,

Folgt' Agamemnons Macht und fiegenden Waffen,
    verlezend

55 Alles Recht. Er ermordet des Priamus Sohn, und
    gewaltfam

Nimt er das Gold. Was nicht von der Sterblichen
    Herzen erzwingft'du,

Gräuliche Goldesbegier! — Da die Angft den Gebei-
    nen entflohn war,

Jezt den erkohrenen Fürften des Volks, und vor allen
    dem Vater,

Meld' ich der Ewigen Drohn, und fodere, was der
    Entschlufs sei.

Gleich ift allen der Sinn, aus dem frevelnden Lande
    zu weichen,   60

Fern gaftfchändendem Gräuel, und Wind zu gewäh-
    ren der Flotte.

Feierlich ehren wir nun Polydorus Leiche: gehäuft
    wird

Hoch zum Hügel die Erd'; es ftehn Altäre den
    Manen,

Traurig in düftere Binden gehüllt und dunkle Cy-
    preffe;

Und rings ilifche Fraun, die das Haar nach der Weife
    gelöfet.   65

Dann wird lauliche Milch aus fchäumenden Näpfen, .
    und drüber

Heiliges Blut aus Schalen geftrömt; und nachdem wir
    der Seele

Ruh im Grabe gefchaft, wird laut noch gerufen der
    Abfchied.

    Drauf, wie die Flut Zutrauen erbot, und fie
        freundliche Winde

Sänftigten, und in das Meer fanftfäufelndes Wehen
    hinausrief;   70

Ziehn die Genoffen die Schiffe hinab, und erfüllen die
    Ufer.

Wir entfteuren dem Port, und zurück gehn Fluren
    und Städte.

    Heilig erhebt fich im Meer ein wohlbeftelletes
    Eiland,

Lieb der nereïfchen Mutter, und lieb dem Ägäer
    Neptunus:

75 Welches der fchnellende Gott, da zuvor es um Küften
und Ufer

Irrt', an Gyaros hohes Geklipp und Mykonos feft-
band,

Und unbewegt zu ftehn ihm verlieh, und Sturm zu
verachten.

Hieher kommen wir müd'; im ficheren Hafen empfängt uns

Delos; wir treten ans Land, und grüfsen die Stadt
des Apollo.

80 Anius, König der Männer zugleich und Priefter des
Phöbus,

Binden der Weih' um die Schläfen gedreht und heiligen Lorber,

Wandelte her, und erkannte den alten Freund in
Anchifes;

Hand wird gefüget in Hand, und wir gehn in die
gaftliche Wohnung.

Phöbus Tempel, erbaut von altendem Steine, verehr'
ich:

85   Gieb, Thymbräer, doch eigenen Heerd, gieb
Mauren den Müden,

Stamm und bleibende Stadt. O erhalt für Troja die
andre

Pergamos, und was der Danaer liefs, und der herbe
Achilles!

Wer, der uns führt? wo fchweifen wir hin? wo grün-
den wir Wohnung?

Gieb uns, Vater, den Wink, und verftändige felber
die Herzen!

90   Kaum war geredet das Wort; da erzitterte plötz-
lich die Gegend,

Schwellen umher, und Lorbergebüsch, und es bebte
von Grund auf

Rings der Berg; dumpf scholls in entschlossener Höhl'
um den Dreifuss.

Demutsvoll sinkt alles zur Erd'; und es tönet die
Stimm' her:

Dardanus hartes Geschlecht, wo euch von dem
Stamme der Väter

Zeugte die Erd' im Beginn, da wird sie mit fröhlicher
Scholl' euch,   95

Die heimkehren, empfahn. Auf, späht die bejahrete
Mutter.

Dort wird Äneas Haus ringsum obherschen den Landen,

Er, und die Söhne der Söhn', und die spät aufwach-
senden Enkel.

So weissagte der Gott; laut hebt sich in stürmi-
schem Aufruhr

Jubelgetön; und es fraget ein jeglicher, welcherlei
Mauern   100

Jene doch sein, und wohin aus der Fremd' heimfo-
dere Phöbus.

Jezo erwog der Vater die Denkmal' alter Ge-
schlechte:

Hört, ihr Fürsten, und lernt, so redet er, euere Hofnung.

Mitten im Meer liegt Kreta, des herschenden Jupiters Eiland,

Wo der idäische Berg und die Wieg' ist unseres
Stammes.   105

Hundert mächtige Städte bewohnen sie, fruchtbare
Reiche;

Auch der erhabene Vater, wo recht das Gehörte mir
einfällt,

Teukros: welcher zuerst, am rhöteifchen Ufer ge-
landet,

Sich zum Reich auswählte den Ort. Nicht Ilion ftand
fchon,

110 Noch die pergamifche Burg; fie bewohneten unten
die Thäler.

Dort ftammt Cybele her, und dort korybantifche
Erze,

Samt dem Idagehölz; dorther das ftumme Ge-
heimnis,

Und, vor den Wagen gefpannt der herfchenden Mutter, die Löwen.

Drum wohlan, und wohin die Unfterblichen führen,
gefolget!

115 Sühnt die Mächte der Wind', und fteurt zu dem gno-
fifchen Eiland.

Auch nicht fern trennt jenes der Raum; wenn nur
Jupiter beifteht,

Ruht mit dem dritten der Tage die Flott' am kreti-
fchen Ufer.

Alfo fprach er, und weihte die fchuldige Pflicht
den Altären:

Seinen Stier dem Neptunus, den Stier dir, fchöner
Apollo,

120 Schwarz dem Sturme fein Lamm, und weifs den
glücklichen Zefyrn.

Sage fliegt, dafs vertrieben Idómeneus wandre,
der König,

Aus dem ererbeten Reich, und Kreta's Ufer geräumt
fei;

Nirgendwo haufe der Feind, und die Wohnungen
    ftehen verlaffen,

Jezt aus Ortygia's Port entfliegen wir durch die Ge-
    wäffer:

Naxos umtaumelte Berge vorbei, und die grüne Do-
    nufa,   125

Paros blendende Höhn, und Oléaros, und die
    Cykladen

Streifen wir, rings in der Flut, und die Wallungen
    engender Infeln.

Mutiges Schiffergefchrei, vielfach wetteifernd, erhebt
    fich:

Heimwärts! Kreta gefucht, und die Urgrofsväter! er-
    mahnt man;

Steigender Wind vom Steuer verfolgt die rüftige
    Meerfahrt,   130

Bis wir zulezt anraufchen zum Strand' uralter Ku-
    reten.

    Rafch nun gründ' ich die Mauren der auserkoh-
        renen Pflanzftadt,

Die ich Pergámea nenn'; und die Meinigen, fröhlich
    des Namens,

Heifs' ich lieben den Heerd, und die Burg aufthür-
    men den Häufern.

Faft fchon ftanden erhöht am trockenen Strande die
    Barken;   135

Ehen und neue Gefilde betrieb die gefchäftige Ju-
    gend;

Wohnungen gab ich und Zucht: als fchnell zum Ver-
    derben den Gliedern,

Aus weit ftockender Luft, und erbarmungswürdig da-
    herkam,

Bäumen zugleich und Saaten, die tödliche Seuche des
　　　　　Jahres.

140 Manche verathmeten fchon ihr fülses Leben, und
　　　　　andre

Schleppten den Leib hinfällig; auch Sirius fengte die
　　　　　Felder;

Falb verdorrte das Kraut, und brodlos krankte die
　　　　　Saatflur.

Schleunig zurück auf der Flut zu Ortygia's hehrem
　　　　　Orakel

Heifst der Vater mich gehn, und um Gnad' anrufen
　　　　　den Phöbus:

145 Welches End' er beftimme der Noth, von wannen des
　　　　　Elends

Hülfe zu fpähn er gebiete, wohin zu lenken die
　　　　　Meerfahrt.

Nacht wars; und in den Landen, was athmete,
　　　　　deckte der Schlummer.

Siehe, die heiligen Göttergebild' und Phrygerpe-
　　　　　naten,

Die ich von Troja zugleich aus der Stadt aufflammen-
　　　　　dem Brande

150 Rettete, fcheinen nunmehr vor den Blick zu treten
　　　　　dem fchlaflos

Liegenden, deutlich erkannt in heller Umfchimme-
　　　　　rung, wo fich

Klar durch offene Gitter der Wand eindrängte der
　　　　　Vollmond.

Sie nun redeten fo, die tröftenden Worte begin-
　　　　　nend:

Was in Ortygia hätte dir Kommenden Phöbus
　　　　　geweiffagt,

Meldet er hier, uns felber, o fchau, zu den Schwellen
              dir fendend.   155

Wir, die aus Troja's Brande gefolgt find deiner Be-
              wafnung,

Wir, die in deinem Geleit hochwogige Meere durch-
              fteuert,

Werden dir unter die Sterne die kommenden Enkel
              erheben,

Werden der Stadt Obherfchaft verleihn. Bau mäch-
              tige Mauern

Mächtigen; und nicht fcheue der Flucht langwierige
              Arbeit.   160

Nein, du vertaufche den Siz. Nicht dies Meerufer
              befahl dir,

Noch will, dafs du in Kreta dich anbauft, Phöbus
              Apollo.

Weftlich lieget ein Land, Hesperia nennt es der
              Grajer,

Altendes Ruhms, durch Waffen gelobt und ergiebige
              Scholle:

Einft vom önotrifchen Volke bewohnt; nun heifst es,
              die jüngern   165

Nannten es Italerland, von Italus Namen, des
              Führers.

Dort wird eigener Siz uns empfahn; denn Dardanus
              ftammet

Dort und Iafius her, der Urahn unfres Gefchlech-
              tes.

Dies unfehlbare Wort dem altenden Vater zu mel-
              den,

Hebe dich froh. Des Kórythus Stadt und Aufonia's
              Lande   170

Such' er.　Diktäifche Fluren verfagt dir Jupiters A[ ]
　　　　macht.

　　Tief erftaunt ob folchem Geficht und den Wo[ ]
　　　　ten der Götter,

(Denn nicht wars Traumbild; nein klar zu erkenn[ ]
　　　　ihr Antliz

Glaubt' ich, die fprechende Mien', und in heilig[ ]
　　　　Binden das Haupthaar;

175 Auch war ganz mir der Leib von froftigen Schwei[ ]
　　　　umftrömet):

Raff' ich empor vom Lager den Leib, und ftrec[ ]
　　　　zum Himmel

Rückwärts gebogene Hände mit Ruf, und fpren[ ]
　　　　verehrend

Lauteren Wein auf den Heerd. Dann froh nach v[ ]
　　　　endetem Opfer,

Meld' ich die That dem Anchifes, genau ihm all[ ]
　　　　eröfnend.

180 Jener erkennt das Doppelgefchlecht zwiefacher E[ ]
　　　　zeuger,

Und dafs ihn neues Verfehn altvätrifcher Orte g[ ]
　　　　teufchet.

　　Sohn, beginnt er, o Sohn, den Ilions Schickf[ ]
　　　　umhertreibt,

Solcherlei Loos hat einzig mir fchon Kaffandra g[ ]
　　　　weiffagt.

Dies, nun denk' ich zurück, follt' unferem Stamme
　　　　bevorftehn;

185 Oft von Hesperia fprach fie, und oft von italifcher
　　　　Herfchaft.

Doch wer glaubte, dafs je hesperifchen Küften die
　　　　Teukrer

n? wen wol rührten Kaſſandra's Ahnungen
damals?

em Apollo gefolgt, und dem beſſeren Rathe ge-
horſamt!

lſo der Greis; frohlockend dem Wort willfahren wir ſämtlich.

uch räumen wir jezo den Siz, und wenige
laſſend,   190

wir aus, und laufen in hohlem ·Gebälk durch
die Meerflut.

ls in die offene See wir bereits aufſteurten, und
nirgends

s Land noch erſchien, rings Himmel und rings
nur Gewäſſer;

ing über das Haupt mir ein bläuliches Regen-
gewölk her,

mitbringend und Sturm; und es ſchauerte
düſter der Abgrund.   195

l nun wühlen die Winde das Meer auf, fürch-
terlich ſteigen

ıngen; uns, die Zerſtreuten, umwogt unermeſslicher Strudel;

lüllt iſt in Regen der Tag, und den Himmel
entraft rings

lnde Nacht, rings zuckt aus geborſtenen Wolken die Leuchtung.

ürmt von der Bahn, durchtreiben wir blinde
Gewäſſer.   200

nicht Tag am Himmel und Nacht zu erkennen
geſtehet,

ſich des Wegs zu beſinnen, in tobender Flut
Palinurus.

Drei unfichere Sonnen in blind umdrängend
        Düfter

Irren wir durch das Gewog', und drei ungeftirn
        Nächte.

205 Jezt am vierten der Tag' erhob fich endlich dem ⟨
        blick.

Land, fern traten hervor Berghöhn, und es wirb⟨
        Rauch auf.

Hurtig die Segel gefenkt, und Ruder geraft; un⟨
        fäumt dann

Drehn fie mit Kraft anftrebend den Scháum, ⟨
        durchfegen die Bläue.

Mich, der den Wogen entrann, herbergt der fi⟨
        fadifchen Infeln

210 Ufer nunmehr. Strofaden mit grajifchem Namen
        nennet,

Ruhn fie im grofsen ionifchen Meer: wo die gra⟨
        Celäno

Wohnt und die andern Harpyen zugleich, feit ihr⟨
        gefperrt ward

Phineus Haus, und gefcheucht fie die vorigen Tif⟨
        verliefsen.

Nicht heillofere Schau droht wo, und gräfslicher ⟨
        mals

215 Hob fich aus ftygifchen Wogen ein Fluch und V⟨
        derben der Götter.

Jungfraunhaft der Vögel Geficht, fcheufelig des B⟨
        ches

Ekler Ergufs, auch die Hände gekrallt, und von H⟨
        ger das Antliz

Immer gebleicht . . .

Als hieher wir gelangt in die Bucht einſteuer-
ten; ſiehe

.liche Rinderheerden erblicken wir rings in den
Feldern, 220

;s der Geiſse Geſchlecht in dem Graſ', ohn' einigen Hüter.

h wird geſtürmt mit dem Stahl; Unſterbliche ruft
man und ſelber

ter her zum Theile des Raubs; und am krummen Geſtade

ft man ſchwellende Lager, und ſchmauſt des lecke-
ren Feſtmahls.

.lich in ſauſendem Sturz graunvoll von dem Fel-
ſengebirge 225

n die Harpy'n, und ſchwingen mit hallendem
Laute die Flügel;

. ſie zerraffen den Schmaus, und mit Unrath ſchän-
den ſie alles,

chgewühlt; ihr Geſchrei tönt graſs zum ſcheuſs-
lichen' Aushauch.

der im Schooſse der Thalwindung an gewölbeter
Felswand,

er der Bäume Verſchloſs ringsher und grauſer
Umſchattung, 230

nen wir unſere Tiſch', und erneuen die Glut den
Altären.

.der aus anderem Raume der Luft und verborge-
nen Winkeln

et der Schwarm, und umfliegt mit kralligen Klauen
die Beute;

l ſie entweihn mit dem Munde das Mahl. Jezt,
Waffen zu nehmen,

235 Und zu bekriegen das Gräuelgezücht, ermahn' ich
Freunde.

Gern wird, was ich befohlen, gethan: in den h‛
den Kräutern

Legen fie Schwerter umher, und bergen verhe
lichte Schilde.

Jezo fobald abftürzend fie laut durch die
Geftade

Töneten; giebt fein Zeichen aus hohlem Erze
nus

240 Hoch von der Wart': an ftürmen zum fe
Kampf die Genoffen,

Dafs fie mit Stahl ausfchänden des Meers unholde
Gevögel.

Doch auch keine Gewalt an dem Flaum, noch Wunden am Rücken

Fühlet der Schwarm; er entraufcht in befchleunigter
Flucht zu dem Äther,

Angenageten Raub und garftige Spuren verlaffend.

245 Eine nunmehr fafs nieder auf luftiger Klippe, Cœ-
läno,

Graunweiffagerin fie, und ftürmt aus dem Bufen den
Ausruf:

Krieg für gemordete Rinder fogar und der Farren Erlegung,

O Laómedontiden, noch Krieg zu erheben gedenkt
ihr,

Und fchuldlofe Harpy'n aus dem Vatergebiet zu ver-
treiben?

250 Nun fo vernehmt mein Wort, und präget es wohl in
die Seele:

dem Phöbus der Herſcher der Welt, mir Phöbus
Apollo

eſagt, euch ſelbſt ich der Furien älteſte
melde.

Italia lenkt ihr den Lauf mit erfleheten
Winden;

Italia kommt ihr, und dürft in den Hafen hin-
eingehn.

h nicht eher umringt ihr die Stadt der Verhei-
ſung mit Mauern,   255

bis gräſslicher Hunger und unſeres Mordes Ge-
waltthat

h die benageten Tiſche hinabzuſchlingen genöthigt.

Sprachs, und zurück in den Wald mit entraffen-
den Fittigen floh ſie.

r von plözlicher Angſt erſtarrte das Blut den Genoſſen,

alt; allen verzagte das Herz; nicht länger mit
Kriegswehr,   260

ι mit Flehn und Gelübd' ermahnen ſie Frieden
zu fodern,

Göttinnen ſie ſein, ob gräſsliche Vögel des
Fluches.

e der Greis Anchiſes, die Händ' ausſtreckend am
Ufer,

t die erhabenen Mächt', und verkündiget ſchuldige
Ehren:

er, o wehret dem Drohn; lenkt ab, ihr Götter,
das Unheil!   265

tung ſchaft uns Frommen verſöhnt!— Dann heiſst
er vom Ufer

Trennen das Seil, und löfen das aufgewickelte Tauwerk.

Südwind fpannte die Segel; einher durch fchäumende Waffer

Fliegen wir, fo wie zum Laufe der Wind und der
Steuerer antrieb.

270 Schon erfcheint in der Flut mit grünenden Hainen
Zakynthos,

Auch Dulichion, Same, und Neritos ftarrende Fels-
höhn;

Ithaka's ödem Geftein, dem Reich des Laertes, entfliehn wir,

Alle verwünfchend das Land, wo erwuchs der graufe
Ulyffes.

Auch Leukáte nunmehr mit des Vorbergs dunftigen
Gipfeln

275 Hüllet fich auf, und, vom Schiffer gefcheut, der Tempel Apollo's.

Dorthin lenken wir müd'; und nahn dem winzigen
Städtlein;

Vorne ruht am Anker der Kiel, und hinten am Strand-
feil.

Froh nun endlich das Land, das unverhofte, be-
tretend,

Weihn wir dem Jupiter uns, uud brennen Gelübd'
auf Altären;

280 Weit auch den aktifchen Strand verherlichet ilifches
Kampffpiel:

Nackt in fchlüpfrigem Öl übt heimifche Künfte des
Ringens

Unfere Schaar. Es erfreut, fo vielen argolifchen
Städten

zu entfliehn, und zu finden durch Feind' und
        Gefahren den Ausgang.
Ganz vollendet indefs die rollende Sonne den
        Jahrkreis,
der beeifete Winter empört die Gewäffer mit
        Nordwind.   285
hohlerziges Schild, die Tracht des gewaltigen
        Abas,
ich vorn an die Pfoften, und zeichne die That
        mit der Infchrift:
fe Wehr Äneas vom fiegenden Danaer-
        volke. »
gereiht auf die Bänke, den Port zu verlaffen,
        gebiet' ich.
erhebt um die Wette den Schlag, und durch-
        ftäubt die Gewäffer.   290
ks verbergen fich uns der Phäacier luftige
        Spizen;
ι Epirus Geftad' umlenken wir; gehen hinein
        dann
en chaonifchen Port, und nahn der erhabnen
        Buthrotos.
Hier ertönet dem Ohr ein Gerücht unglaublicher
        Thaten,
nus, Priamus Sohn, fei grajifcher Städte Gebie-
        ter,   295
er und Eh' einnehmend des äacidifchen Pyr-
        rhus,
in die Sippfchaft fei Andromache wieder ver-
        mählet.
ich erftaunt'; es entbrannte das Herz von inni-
        ger Sehnfucht,

Anzureden den Mann, und das Wundergefchick n
        vernehmen.

300 Vorwärts wandl' ich vom Porte, Geftad' und Flot
        verlaffend:

Als ihr feiërlich Mahl, und traurige Todtenge
        fchenke,

Dort im Hain vor der Stadt, an des teufchenden S
        mois Waldung,

Eben Andromache weihte der Afch', und die Mane
        daherrief

Zum hektorifchen Hügel; den leer fie aus grünendem
        Rafen,

305 Und, den Gram zu erneun, zwei Traueraltäre g
        heiligt.

So wie mich Kommenden jene bemerkt', und die
        troifchen Waffen

Rings wie entfeelt anfchaute; beftürzt von der Wun-
        dererfcheinung

Starrte fie mitten im Blick, und die Wärme ver-
        fchwand den Gebeinen,

Matt nun finkt fie; und kaum fich zulezt erholend
        beginnt fie:

310   Kommft du in wahrer Geftalt, mir ein wahrer
        Verkündiger nahend?

Sohn der Göttin, du lebft? Floh aber das heilige Licht
        dir;

Hektor, wo der? — So rief fie, und ftrömt' in Thrä-
        nen, und ringsum

Füllte den Ort ihr Jammergefchrei. Kaum weniges
        ftammelnd,

Geb' ich der Armen verwirrt mit ftockendem Laute
        die Antwort:

Ja, ich leb', und führe von Noth mein Leben in
    Noth hin!   315
ifele nicht; dir erfcheint Wahrheit! . . .

e, wie tief von der hohen Befeligung folches Ge-
    mahles
eft du? oder wie weit ift erfezt dir würdiges
    Schickfal?
ors Andromache dú bift immer noch Pyrrhus
    Genoffin?
Sie dort fenkte den Blick, und fprach mit leife-
    rer Stimme: 320
lückfelig allein vor anderen Priamus Toch-
    ter,
am feindlichen Hügel vor Troja's thürmenden
    Mauern
te, ohne zuvor das fallende Loos zu erdul-
    den,
kein fiegender Herr als Gefangene führte zum
    Lager!
nach Ilions Brand', entlegene Meere durchwan-
    dernd,   325
des achillifchen Stamms Hochmut, und den
    trozigen Jüngling,
quält im Joche des Zwangs: der Hermionen
    nachmals,
's Enkelin, folgt', und der lacedämonifchen Hoch-
    zeit,
mich Dienende nun dem dienenden Helenus
    hingab.
m, von heftiger Glut der entriffenen Gattin ent-
    zündet,   330

9 *

Und von der Sünde verfolgt und den Furien, lauert
　　　　！ Oreftes

Tückifch auf, und erfchlug ihn an väterlichen Al-
　　　　tären.

Nach Neoptolemus Tode bekam ein Theil des Ge-
　　　　bietes,

Helenus: welcher nunmehr chaonifche Felder mit
　　　　'! Namen,

335 Und Chaonia nannte vom troifchen Chaon die Her-
　　　　'。fchaft,

Und hier Pergamos baut' und Ilions Burg auf den
　　　　: :Höhen,

Aber o welcherlei Wind doch enttrug dich, welcher-
　　　　lei Schickfal?

Oder was trieb für ein Gott dich ganz Unkundiges
　　　　hieher?

Was denn macht dein kleiner Askanius? lebt er und
　　　　athmet?

340 Den dir, wie Troja bereits ... :

Ob der Knabe jedoch den Verluft der Mutter em-
　　　　pfindet?

Ob zu männlichem Mut und alterthümlicher Tu-
　　　　gend

Ihn fein Vater Äneas und Hektor reizet der
　　　　Oheim?

: Alfo redete jene bethränt, und weinete
　　　　lange

345 Fort mit vergeblichem Gram: als fich von den Mau-
　　　　ren der Heros

Helenus, Priamus Sohn, darbeut in grofser Beglei-
　　　　tung,

und die Seinen erkennt, und froh zum Palaſte
daherführt,

viel Thränen vergiefst bei jedem gebrochenen
Worte.

delnd erkenn' ich Troja die kleinere, und der
erhabnen

amos winziges Bild, und ein ſeicht hinrieſelndes
Bächlein,   350

hus benamt, und die Schwellen des ſkäiſchen
Thores umarm' ich.

ı die Dardaner gehn der verbündeten Stadt zu
genieſsen.

in geräumigen Hallen bewirtete jene der
König.

rlich ſprengten ſie drinnen im Hof des Palaſtes
den Feſtwein,

ſich Speiſen auf Gold', und die Opferſchal' in
den Händen.   355

Schon entſchwand ein Tag und ein anderer Tag;
und den Segeln

t der Wind; auf wölbt ſich im ſchwellenden
Süde die Leinwand.

wend' ich zum Seher das Wort, und erkundige
ſolches:

Same des Tros, o Götterprofet, der die Winke
des Phöbus,

Dreifuſs und Lorber des Klariers, der die Ge-
ſtirn' auch   360

t, und Zungen der Vögel, und Deutungen ra-
ſches Gefiedersr!

ə doch, (denn es erklärt' heilmeldende Religion
mir

Ganz den Lauf, und mich hiefsen die fämtlichen

Winke der Götter

Gen Italia gehn, und entlegene Lande ver-

fuchen;

365 Nur fie allein weiffaget ein Graun, die Harpye Cä-

läno,

Neues unnennbares Graun, und kündiget traurigen

Zorn an,

Und fcheufeligen Hunger!) was meid' ich zuerft für

Gefahren?

Welch ein Rath, ob ich etwa fo fchrecklichem Leiden

entfliehn mag?

Helenus jezt, da er Farren zuvor nach der Weife

gefchlachtet,

370 Fleht um Gnade der Götter, und löft die fchleiernden

Binden

Seines geheiligten Haupts, und dir zu den Schwellen,

o Phöbus,

Führt er mich felbft an der Hand, wie ich beb' im

Schauer der Gottheit;

Diefes fodann weiffaget aus göttlichem Munde der

Priefter:

Sohn der Göttin! (denn traun von gröfseren

Zeichen geleitet

375 Gehft du die Wogen hindurch) fo looft der Unfterb-

lichen König

Schickfalsloof', und die Wandel des Glücks; fo rollet

die Ordnung!

Weniges dir aus vielem, dafs ficherer gaftliche

Meere

Weit durchziehn, und im Port der Aufonier ruhen

du könneft,

aufschliefsen mein Mund.　Denn mehreres hüllet die Parce

nus Geift', und zu reden verbeut die faturnifche Juno.　　　380

ch das Italerland, das schon dir nahe du achteft,

zum grenzenden Port, Unkundiger, rüfteft die Einfahrt,

t, weit trennt es durch Räum' unwegfamer Weg in die Ferne.

in trinakrifcher Flut muſs fchwank fich biegen das Ruder,

umfchweifen der Kiel das Gewog' aufonifches Salzes,　　　385

rirdifche Teich', und die Flur der Ääerin Circe;

in ficherem Lande die Stadt du zu ordnen vermögeft.

hen fag' ich dir an; du halte fie feft im Gedächtnis.

n dir Bekümmerten einft an der Flut des gefonderten Stromes

r des Bords Steineichen die ungeheuere Bäche　　　390

ı der Gebnrt, umwühlt von dreifsig Frifchlingen, daliegt,

fs, am Boden geftreckt, und weifs um die Euter die Ferklein;

: fei die Lage der Stadt, dort ftetiga Ruhe der Mühfal.

h nicht fchaudere fo vor der Tifche gedrohetem Anbifs;

395 Ausgang bahnt das Geschick, und es naht der gerufne
               Apollo.

Jene Gefilde jedoch, und den Rand des italischen
               Ufers,

Welcher zunächst von der Woge des unsrigen Sundes
               durchströmt wird,

Fliehe du! Alle die Mauren bewohnt der tückische
               Grajer.

Dort   errichtete   Mauren   das   Volk   narycischer
               Lokrer;

400 Auch der Lyktierfürst Idomeneus füllte mit Strei-
               tern

Sallentinisches Feld; und die kleine Petélia trotzt
               dort,

Von Philoktetes umschanzt, dem tapferen Held Meli-
               böa's.

Ja, wenn jenseit des Meers die gelandete Flotte dir
               stehet,

Und du gestellten Altären Gelübd' am Strande be-
               zahlest;

405 Hülle das Haar dir bedeckend mit purpurfarbenem
               Schleier:

Daſs nicht während der heiligen Glut in der Götter
               Verehrung

Feindliche Schau dir begegne, die Vorbedeutung ver-
               wirrend.

Dies sei Opfergebrauch den Deinigen, so wie dir
               selber;

Dies stets Religion dem Geschlecht frommwandelnder
               Enkel.

410 Aber nachdem dich Geschiednen der Wind dem
               sikulischen Ufer

erte, und fich erweitert das enge Verfchlofs des
               Pelorum;

s dann werde das Land, und links in langer
               Umgehung

das Gewäffer gewählt; rechts meide die Wog'
               und das Ufer.

durch Gewalt vormals und machtvoll rüttelnden
               Erdfturz,

viel mag umwandeln die Zeit in altender.
               Dauer!)   415

:, wie man faget, der Grund, da vereiniget bei-
               derlei Erdreich

noch war; ein ftrömte die Flut, und mit ftür-
               mender Brandung

fie das Sikulerland von Hesperia; Felder und
               Städte,

h Meerufer getrennt, durchfpült' ein geengeter
               Strudel.

ts hält Scylla den Strand, und die unfriedfame
               Charybdis   420

s; und zum unterften Wirbel des Abgrunds
               fchlürfet fie dreimal

die unendlichen Fluten hinab, dann wieder zur.
               Luft auf

ellt fie die wechfelnden hoch, und fchlägt die
               Geftirne mit Meerfchaum.

r Scylla verweilt im dunkelen Winkel der Fels-
               kluft,

fie das Haupt ausftreckt, und die Schiff' an die
               Zacken heranzieht.   425

a ift Menfchengeftalt, und fchön von Bufen die
               Jungfrau,

Bis an den Schoofs: doch hinten ein graunvoll rib
gelnder Wallfifch,

Welcher Delfinenfchwänz' an den Bauch der Wölf
gefüget.

Beffer dem Ziele genaht des trinakrifchen Berges P
chynos,

430 Auch mit Verzug, und umher auf längerer Bahn dich
gewendet,

Als in der graulichen Höhl' einmal nur gefehen da
Scheufal

Scylla, und das Geklipp, durchbellt von fchwärzliche
Hunden!

Jezo annoch, wenn Verftand bei Helenus waltet, dem
Seher,

Oder wenn Treu, wenn die Seele mit Wahrheit füllet
Apollo;

435 Eines, o Sohn der Göttin, das Einzige lafs mich vor
allem

Kund dir thun, und wieder mit Ernft dich warnen
und wieder.

Juno's herliche Macht fei zuerft im Gebete ver-
ehret,

Juno mit frohem Gelübde gegrüfst, und der Königin
Hoheit

Durch demütige Gaben gebeugt! So endlich ein
Sieger

440 Gehft aus Trinakria du zu den Italergrenzen ge-
fendet.

Wann hieher du gelangt der kumäifchen Stadt dich
genähert,

Und dem begeifterten See, und dem waldumraufch-
ten Avernus;

t du die Seherin fchaun, die rafende, die in der
Felskluft

:kfal fingt, und dem Laube die redenden Zeichen
vertrauet.

:he Verkündungen nun in das Laub einrizte die
Jungfrau, 445

iet fie alle nach Zahl, und läfst fie verfchloffen
im Felfen.

ruhn unbewegt an dem Ort, und behaupten die
Ordnung.

ı wenn heran nur leife bei umgedreheter
Angel

:hte der Wind, und die Pforte die luftigen Blätter verwirrte;

mer die flatternden dann im gehöhleten Felfen
zu hafchen, 450

ı zu erneuen die Lag', und die Sprüche zu einigen forgt fie.

los fliegen fie weg, und haffen das Haus der Si-
bylle.

lafs weder Verzug fo fehr dich reuen, noch
Säumnis;

auch laut anmahnen die Freund', und dringend
die Meerfahrt

l verlangt, und fchwellen du kannft die gewogene
Wölbung; 455

ı, der Profetin genaht, und mit Flehn das Orakel
gefodert!

? fie felbft, und öfne die willige Lippe zum Ausfpruch.

wird Italia's Völker gefamt, und die kommenden
Kriege,

Auch wie meiden du kannſt und endigen jeglich
Arbeit,

460 Kund dir thun; und verehrt wird günſtigen Lauf
gewähren.

So weit gönnt das Geſchick dir unſeres Mundes Er
mahnung.

Gehe denn, hebe durch That die gewaltige Troja zum
Äther.

Als nun ſo der Profet mit freundlicher Stimm
geredet;

Schwere Geſchenke von Gold und elfenbeinene
Kunſtwerk

465 Heiſset er tragen zur Flott', und drängt in die faſſen
den Räume

Mächtiges Silbergeräth, und dodonäiſche Becken,

Auch den geringelten Panzer aus Drillichsmaſchen
des Goldes,

Auch den ſtattlichen Kegel des Helms, und den wal-
lenden Haarbuſch;

Einſt Neoptólemus Wehr. Nicht fehlt auch Geſchenk
für den Vater.

470 Roſſe dazu, und Lenker dazu . . .

Ruderer werden ergänzt, und gerüſtet die Schaar mit
Geräthſchaft.

Raſch hieſs jezo die Segel der Flott' einfügen
Anchiſes,

Daſs ein Verzug nicht ſäumte die tragenden Hauche
des Windes.

Ehre bezeugt anredend der apolloniſche Deu-
ter:

O Anchiſes, von Venus erhabener Liebe gewür-
          digt,   475

:erfreund, der zweimal aus Pergamos Sturze ge-
          raft ward,

ıu das auſoniſche Land, da liegt's! dort ſegle hin-
          über.

l doch jenes im Meere vorbeizugleiten iſt noth
          dir.

it iſt Auſonia's Theil noch entfernt, den öfnet
          Apollo.

ndele, ſprach er, o Froher des biederen Sohnes!
          Wozu noch   480

ıreres, da mein Wort aufſteigende Winde ver-
          ſpätet?

Auch Andromache jezo, betrübt am äuſerſten
          Abſchied,

ıgt von Bildungen reiche Gewand' und goldenem
          Einſchlag,

h ein phrygiſches Kleid für Askanius, eifernd in
          Ehre;

ız mit gewebeten Gaben umhäuft, ſie ihn, alſo be-
          ginnend: 485

Dies auch empfah, was dir von meinen Händen
          ein Denkmal

o Knab', und bezeuge, wie ſtets ſich Androma-
          che liebte,

ıtors Weib. O nim der Deinigen leztes Geſchenk
          hier,

mir übrig allein als meines Aſtyanax Bild-
          nis!

warf jener den Blick, ſo trug er die Händ' und
          das Antliz!   490

Und nun wüchf' er mit dir zu gleichem Alter
Jünglings!
Jezo fchied ich von dannen, und fprach
quellender Thräne:
Lebet, o lebt glückfelig, die ihr fchon euer V
hängnis
Endetet! Uns noch ruft aus anderem anderes Sc
fal!
495 Euch ift Ruhe gefchaft; kein wogendes Meer
durchpflügen;
Kein Aufonierland, das ftets fich weiter zurück-
zieht,
Auszufpähn. Ihr fehet des Xanthus Bildnis,
Troja,
Die ihr mit eigener Hand euch gebaut: zu Befferem
wünfch' ich,
Vorbeftimmt, und minder der Wut zugänglich
Grajers!
500 Wenn ich zum Thybris einmal, und den Nachbarflu-
ren des Thybris,
Eingeh', und die dem Volke verliehenen Mauren er-
blicke;
Städte, verwandt vormals, und blutsbefreundete Völker,
Hesperus Land mit Epirus, vom felbigen Dardanus
ftammend,
Duldend das felbige Loos, die fchaffen wir beide zu
einer
505 Troja an Sinn. Heim falle die Einigung unferen En-
keln.
Vorwärts gehn wir ins Meer, die nahen Cerau-
nien ftreifend,

nach Italia führt der kürzeste Lauf in den Wogen.

tauchte die Sonn', es dunkelten schattige
Berge.

wir ruhn an der Wog' im Schoofs des ersehne-
ten Landes,

wir um Ruder geloost; ringsher auf troekenem
Meerkies   510

gen wir müde den Leib, und Schlaf umthauet die
Glieder.

Noch nicht führten die Nacht zu des Kreislaufs
Mitte die Stunden:

h ungesäumt vom Lager ersteht Palinurus, und
sämtlich

cht er die Wind', und fängt mit lauschendem Ohre
die Kühlung;

Gestirn' auch merkt er, die still hingleiten am
Himmel,   515

h den Arktur und die feuchte Hyad' und die dop-
pelte Bärin,

h den grofsen Orion in wapnendem Gold' um-
fchaut er.

er gesehn, wie alles sich füg' am heiteren Himmel;

t er hell vom Hinterverdeck; wir eilen zum Auf-
bruch,

en die Fahrt, und breiten die segelnden Flügel
des Schiffes.   520

Schon erröthete jezt bei fliehenden Sternen Aurora,

wir dunkele Hügel von fern, und wie streifenden
Nebel

Tief Italia fehn.　　O Italia !　　rufet
　　　　　　　　tes ; ..

Und,　o Italia!　grüfsen mit fröhlichem Ruf
　　　　　　　　Genoffen.

525 Aber der Greis Anchifes bekränzt den ge
　　　　　　　　Mifchkrug,

Füllt ihn mit lauterem Wein, und fleht den U
　　　　　　　lichen, ftehend

Hoch auf dem Hinterverdeck . . . .

: Götter, des Meers und der Erd' und der W
　　　　　　　terungen Gebieter,

Sanft lafst fchweben die Fahrt, und erregt mi
　　　　　　　hende Kühlung!

530 · Frifcher fauft, wie er flehte, die Luft, und
　　　　　　　Hafen enthüllt fich

Näher bereits, und der Tempel erfcheint auf der Höh
　　　　　　　Minerva's.

Eingerollt find die Segel; zur Anfuhrt drängt man
　　　　　　　das Vorfchif.

Bogengleich ift gekrümmt von der öftlichen Woge der
　　　　　　　Hafen;

Und vorftarrende Klippen umfchäumt auffprizendes
　　　　　　　Meerfalz;

535 Selber liegt er verfteckt; der gedoppelten Mauer Um-
　　　　　　　armung

Senkt fich von thürmenden Höhn; und es flieht vom
　　　　　　　Geftade der Tempel.

Dort vier Roff', als erfte Verkündigung, fah ich im
　　　　　　　Grafe

Weitumher das Gefild' abmähn, hellfchimmerndem
　　　　　　　Schnee gleich.

uf Anchifes der Greis: Krieg trägeſt du, Land
der Bewirtung!

g bewafnet das Roſs; Krieg droht der weidende
Rudel! 540

noch ſind auch am Wagen hinfort zu traben ge-
wöhnet

e Gaul', und im Joch einmütige Zäume zu dulden:

d' auch erſcheint! ſo ruft er. Wir flehn die heilige Gottheit

las der Kriegerin an, die zuerſt uns Jauchzende
aufnahm.

den Altären bedeckt uns phrygiſche Hülle die
Häupter; 545

l, was Helenus mehr als alles verlangt, nach der
Sazung

ihn wir gebotene Pflicht der argiviſchen Königin
Juno.

Ohne Verzug, ſobald wir Gelübd' und Flehen
vollendet,

hen wir meereinwärts der beſegelten Rahen Hörner,

l von der Grajer Bezirk und verdächtigen Wohnungen fliehn wir. 550

uf wird Tarentums Bucht, des herkuliſchen, meldet der Ruf wahr,

rſchaut. Es erhebt ſich die hehre Lacinia jenſeits,

l die kauloniſche Burg, und der Kiele Verderb
Scylacéum.

n. wird fern aus der Flut der trinakriſche Ätna
geſchauet;

555 Auch lauttofenden Meeraufruhr, und gefchlagene
      fen

Hören wir fchon' weither, und gebrochene Hall
      Geftade:

Hochauf wallen die Gründ', in den Brandungen
      deln die Sand' um.

    Jezt Anchifes der Greis: Hier traun ift
      Charybdis,

Hier das Geftein, das der Seher gedroht, und
      Felfen des Grauens!

560 Raffet heraus, o Genoffen; zugleich fchwingt all
      Ruder!

    Gern wird, was er befohlen, gethan; und
      krachende Vorfchif

Drehet zuerft linkshin zu den Wogen des Meer
      linurus;

Linkshin drehen fie alle mit Wind und Rude
      Barken.

Jezt in den Himmel erhebt uns gebogener Str
      und jezo

565 Senket uns, unten entraft, zu des Erebus Schatte
      Woge.

Dreimal fcholl aus der Kluft hohlzackiger Kli
      Geheul auf;

Dreimal fahn wir, wie fprizte der Schaum zu
      träufelnden Sternen.

Uns den Ermatteten nun war Wind und Sonn
      fchwunden,

Als wir des Wegs unkundig zum Strand der C
      pen hinangehn.

570   Friedfam ruht vor der Wind' Androhn de
      räumige Hafen;

r zunächſt mit graufen Verwüſtungen donnert der
Ätna.

nals ſtrömt er die ſchwarz vorbrechende Wolke
zum Äther,

che wie Pech aufwirbelt den Dampf voll funkeln-
der Flocken,

er erhebt Glutklumpen, und leckt mit der Flamme
die Sterne;

ial Graus und Geſteine, dem Schoofs entriſſen des
Berges,   575

net er ſtrudelnd empor, und geſchmolzene Felſen
zum Himmel

igt er mit dumpfem Gekrach, und kocht aus dem
unterſten Grund' auf.

iſt, Encéladus Leib, den gebrandmarkt ſengende
Donner,

de gedrückt von der Laſt, und der mächtige Ätna
darüber

zewälzt, verathme die Flamm' aus geborſtenen
Eſſen;   580

wann er müd' umwechsle die Seit', erzittere
murmelnd

; das trinakrifche Land, und Rauch umwalle den
Himmel.

Wir nun dulden die Nacht das entſezliche Wunder, in Waldung

gehüllt, nicht ſehend, woher ſo tofe der Aufruhr.

n nicht ſchien ein klares Geſtirn, noch leuchtete
funkelnd   585

ere Bläue des Pols; umwölkt war der dunkele
Himmel,

10 *

Und tief deckte den Mond der mitternächtliche
Schauer.

Schon der folgende Tag ſtieg auf mit dem Sterne
des Morgens,

Und den bethaueten Schatten entfernt' Aurora vom
Himmel;

590 Als aus den Waldungen ſchnell, mit abgehagertem
Antliz,

Eine befremdende Mannesgeſtalt, in erbärmlichem
Aufzug,

Vorwärts trat, demüthig die Händ' ausſtreckend zum
Ufer.

Schau! ein gräſslicher Wuſt, und verwilderte Länge
des Bartes,

Rings geſtopft die Hülle mit Dorn; doch übrigens
Grajer,

595 Und in heimiſchen Waffen vordem gen Troja geſen-
det:

Als er die Dardanertracht fernher und die troiſche
Rüſtung

Schauete, ſtuzt' er ein wenig, und abgeſchreckt von
dem Anblick

Hemmt' er den Schritt; bald aber in ſtürzendem Lauf
zum Geſtade

Flog er mit Flehn und Jammer heran: Bei den Sternen beſchwör' ich,

600 Bei den Unſterblichen euch, und dem Lebenslichte
des Himmels!

Nehmt mich, o Teukrer, hinweg; in welcherlei Land'
auch, entführt mich!

Das iſt genug! Ja ich weiſs, ein Genoſs der Danaer-
flotte

Bin ich, und naht', ich bekenn' es, mit Krieg den
Penaten der Troer.
Dafür, wenn fo grofs die Beleidigung meines Ver-
gehns ift,
Streut in die Flut mich umher, in des Abgrunds Wo-
gen verfenkt mich! 605
Wenn ich ja fterb', o ein Troft, durch Menfchenhände
zu fterben!
Jener fprachs, und umarmend die Knie', und
gewälzt um die Kniee,
Schlang er fich feft. Wer er fei, zu geftehn, und wel-
cherlei Blutes,
Mahnen wir an, und wie doch umher ihn treibe das
Schickfal.
Selber reicht dem Jüngling die Hand der Vater An-
chifes, 610
Ohne Verzug, und ftärkt mit erbotenem Pfande das
Herz ihm.
Als er endlich die Angft ablegete, redet er
alfo:
Her aus Ithaka ftamm' ich, Genofs des bedräng-
ten Ulyffes;
Von Adamaftus erzeugt, und genannt Achäménides,
zog ich,
Arm von Geburt, (o wäre mein Loos mir geblieben!)
gen Troja. 615
Hier, da in zitternder Haft fie entflohn aus der grau-
famen Wohnung,
Liefsen die Freund' achtlos mich Einfamen in des
Cyklopen
Räumiger Kluft. Ein Haus voll blutiger Koft und
Verwefung,

Düfter und grofs inwendig. Er felbft hochragend be-
 rühret

0 Hohes Geftirn; (o enthebt folch Unheil, Götter, dem
 Erdkreis!)

Weder den Schauenden hold, noch je Anredenden
 freundlich,

Zehrt er der Elenden Fleifch, und fchlürft des fchwärz-
 lichen Blutes.

Sah ich doch felbft, wie er zween aus unferer Freunde
 Verfammlung

Fafst' in gewaltiger Hand, und zurück in der Höhle
 gelehnet,

5 Schmetterte gegen den Fels, und die Schwell' in um-
 fprizendem Moder

Schwamm; ja ich fah, wie er Glieder, beftrömt von
 fchwarzer Verwefung,

Käut', und die warmen Gelenk' ihm zitterten unter
 den Zähnen.

Zwar nicht bliebs ungeftraft; nicht duldete folches
 Ulyffes,

Noch vergafs fein felbft der Ithaker, als die Gefahr
 rief.

0. Denn fobald, vom Schmaufe gefüllt, und mit Weine
 beftattet,

Er den gebogenen Hals hinfenkt', und die Höhle hindurch weit

Dalag, klumpige Jauch' ausbrechend im Schlaf, und
 zerftücktes

Fleifch mit blutigem Weine gemifcht; jezt flehn wir
 den Göttern,

Und, nach geworfenem Loofe, zugleich rings all' um
 den Einen

:en wir her, und bohren mit fpizigem Schafte
    das Aug' ihm,   635

:hes grofs und allein von der ftruppigen Stirne
    bedeckt lag,

:h dem argolifchen Schild' und der leuchtenden
    Scheibe des Phöbus;

find endlich vergnügt die ermordeten Freunde
    zu rächen.

entflieht, o ihr Armen, entflieht, und das Seil
    vom Geftade

ig gefprengt! . . .   640

ı fo mächtig und grofs im gehöhleten Fels Poly-
    femus

fchwerwolliges Vieh einfperrt, und die Euter
    fich ausmelkt,

nt bei Hunderten noch ringsum an dem krum-
    men Geftade

:liches Volk der Cyklopen, und irrt auf fteilen
    Gebirghöhn.

mal ergänzte mit Licht die gehörnete Luna den
    Vollmond,   645

ich in Waldeinöden, umdroht von zerreifsendes
    Wildes

nungen, bang' ausharr', und die ungeheuren Cy-
    klopen

ue vom Fels, vor dem Donner des Gangs und
    der Stimmen erfchreckend.

de Koft, Waldbeeren und fteinige Frucht der
    Kornelle,

hen die Äft', auch weiden mich ausgewurzelte
    Kräuter.   650

Alles umher durchfpähend, erblickṭ' ich zuerſt am Ge
　　　　ſtade

Hier die kommende Flott', und befchloſs ihr, wer ſ
　　　　auch wäre,

Mich zu vertraun. , Nur entfliehn dem verruchte
　　　　Gefchlecht, iſt genug mir!

Mögt ihr lieber den Geiſt durch jeglichen Tod mi
　　　　vertilgen!

655　　Kaum dies hatt' er gefagt, da ſchauen wir hoc
　　　　auf dem Berge,

Wie er unter den Heerden mit plumper Laſt ſich en
　　　　herregt,

Jener Hirt Polyfemus, und ſtrebt zum traulich
　　　　Meerſtrand,

Gräſslich von Schau, misförmig und grofs, und g
　　　　blendetes Auges.

Eine geſtümmelte Ficht' in der Hand lenkt ſtüzei
　　　　den Fufstritt.

660 Wollige Schäf' umwimmeln den Gang, ſie einzi
　　　　Luſt ihm,

Einzige Tröſtung des Grams . . .

Als er das tiefe Gewäſſer berührt', und zum Mee
　　　　herabkam;

Jezt das flüſſige Blut des entgrabenen Auges ſich ſp
　　　　lend,

Knirſcht er laut mit den Zähnen, und ſtöhnt; da
　　　　mitten das Meer durch

665 Wandelt er, doch ungenezt ragt über der Flut ih
　　　　die Seite.

Fern in befchleunigter Flucht entzittern wir, ne
　　　　mend den armen

ehenden, der es verdient, und haun in der Stille
das Seil ab;

e wir drehn vorfinkend mit eifrigem Ruder die
Meerflut.

ner vernahms, und lenkte zum Schall der Stimme
den Fufstritt.

ber da keine Gewalt, mit der Hand zu erftreben,
verliehn wird, 670

nd der ionifchen Woge fich ungleich fühlt der Ver-
folger;

Hebt er ein ungeheures Gebrüll: dafs die Tiefe mit
allen

Fluten umher aufbebt, und weit von Schrecken be-
täubtes

Italerland, und aus krummem Geklüft nachbrüllet der
Ätna.

Aber das Volk der Cyklopen aus Waldungen rings
und Gebirghöhn 675

Stürzet erweckt zu dem Hafen herab, und füllt die
Geftade.

Daftehn fehen wir fie mit umfonft anfunkelndem
Auge,

Jen' ätnäifchen Brüder, das Haupt hoch tragend zum
Himmel:

Ein fcheufeliger Rath! wie wenn mit erhabenem
Wipfel

Luftige Eichen gedrängt, wie wenn nufsreiche Cypreffen 680

Stehn, dort Jupiters hohes Gehölz, dort Hain der
Diana.

Haftig in Angft hat alles, wohin es auch gehe, das
Tauwerk

Aufgerollt, und die Segel dem helfenden Winde |
         fpannet.

Doch warnt Helenus Wort, dafs Scylla hindurch u
         Charybdis

685 Beiderlei Weg hinführ' auf des Tods angrenzende
         Rande,

Wenn man nicht halte den Lauf; und zurück wi
         befchloffen zu fegeln.

Schau nun, Boreas weht von dem engenden Siz (
         Pelorus

Frifch. Den lebenden Fels um die Mündung P
         tágias fahr' ich,

Auch die megarifchen Bufen vorbei, und die nied
         Thapfus.

690 Solche Geftade des Meers, da zurück die umirrten
         ftreifte,

Zeigt' Achämenides mir, der Genofs des bedräng
         Ulyffes.

Gegen die brennende Spize Plemmyrion ftre
         fich ein Eiland

Vor die fikanifche Bucht: mit dem Namen Orty
         nannt' es

Vorige Zeit. Sag' ift, wie der elifche Strömer .
         féos

695 Unter dem Meere den Lauf ingeheim herlenkte, (
         jezo

Dir, Arethufa, im Born den fikulifchen Wellen |
         einmifcht.

Nach dem Gebot verehr' ich des Orts obwalter
         Mächte,

Steuere dann um Helórus, des fumpfenden, feifte (
         fild' hin.

f die zackigen Klippen des Vorgebirges Pachy-
      num

fen wir; dann, wo nie Umwandelung duldet das
      Schickfal,   700

int uns fern Kamarina daher, und geloifche Fel-
      der,

zugleich, von dem Namen des rafenden Stromes
      genennet.

her zeiget darauf der Akragas ferne die wei-
      ten

ngen, er ein Erzeuger hinfort grofsherziger
      Rofse.

auch lafs' ich, mit Winden erfreut, palmreiche
      Selinus;   705

ı hartfelfigen Grund lilybeïfcher Watten um-
      fteur' ich.

empfängt dein Port und das freudenlofe Geftad'
      uns,

anon. Hier, da im Meere fo manch Unwetter
      vorbeizog,

ı mir ach! mein Vater, der Leid und Sorge ge-
      lindert,

ı mir Anchifes geraubt! Hier, redlicher Vater,
      vermifs' ich   710

los dich, der umfonft fo drohenden Schrecken
      entflohn war!

nus nicht der Profet, wie viel Graunhaftes er
      kundthat,

te dies Herzleid mir voraus, noch die graufe Ce-
      läno!

war die Endarbeit, dies langer Verirrungen Ziel
      mir.

715 Dorther trug mich Geschiednen ein Gott an eu[...] Küste.

  So der Vater Äneas, da all' aufmerkten d[...] einen,

Göttergeschick' erzählt' er, und seine durchwand[...] Laufbahn.

Jezo verstummte der Held, und endigend ging [...] zum Ausruhn.

Ä N E Ï S.

VIERTER GESANG.

INHALT.

Dido vertraut der Schwester Anna ihr Gefühl für Äne
und denkt an Vermählung; worüber Juno, um den Äneas v
Italien zu entfernen, mit Venus unterhandelt. Äneas und D
auf der Jagd werden durch einen Sturm der Juno in e
Höhle geschreckt. Fama meldet die neue Verbindung d
Gätulerkönig Iarbas, der voll Eifersucht den Vater Jupiter A
mon anruft. Jupiter, zugleich der Schickfale eingedenk, l
det durch Merkurius dem Äneas Befehl, nach Italien abzuge
Die heimlichen Zurüstungen merkend, sucht Dido den Än
durch Vorwürfe und Bitten zu halten, und beschließt, da nic
ihn bewegt, den Selbstmord. Merkurs neue Erscheinung
schleunigt die Abfahrt; worauf die verzweifelnde Dido d
gleichsam zu magischem Gebrauch errichteten Scheiterhau
besteigt, und sich des Äneas Schwert in den Busen stößt.

Ä N E Ï S.

VIERTER GESANG.

·er die Königin, längſt von heftiger Sorge ver-
  wundet,
rt ihr blutendes Weh, und vergeht an heimlicher
  Flamme.
bedenkt ſie die Tugend des Manns, oft wieder
  den Adel
es Geſchlechts; feſt haftet im innerſten Buſen das
  Antliz,
ſein Wort; und die Sorge vergönnt nicht Ruhe
  den Gliedern.   5
Neu· umwanderte ſchon mit phöbiſchem Lichte
  die Länder,
. weg ſcheuchte vom Himmel den thauigen Schatten Aurora;
die Bethörete ſo zur liebenden Schweſter ſich
  wendet:
Anna, welcherlei Träum', o Schweſterchen, ſchrecken mit Angſt mich?
.ch ein ſeltſamer Gaſt, der unſerer Wohnung genaht iſt?   10

Wie er fich hebt an Geftalt! wie beherzt und tapfer
  in Waffen!

Ja ich glaub', und fürwahr ungeteufcht, er ftammt
  von Göttern.

Ausgeartete Seelen verräth Furcht. Wehe, wie ftürmt
  ihn

Schickfal umher! von welchen beftandenen Kriegen
  erzählt' er!

15 Wenns nicht feft in der Seel' und unabänderlich
  ftände,

 Keinem woll' ich hinfort durch ehliches Band mich
  gefellen,

Seit mit dem Erftgeliebten mir Freud' und Hofnung
  dahinftarb;

Wenn nicht verhafst Brautkammer und Hochzeitfackel
  mir wäre:

Diefer einen Verfuchung vielleicht noch könnt' ich
  erliegen,

20 Anna, ich will es geftehn: nachdem mein armer Sychäus

Schwand, der Gemahl, und troffen in Bruderblut die
  Penaten,

Hat er allein mir gewendet den Sinn, und die wankende Seele

Wieder bewegt; ich erkenne die Spur vormaliger
  Flammen.

Doch foll eher die Erde hinab mich fchlingen zum
  Abgrund,

25 Soll der allmächtige Vater mit Glut zu den Schatten
  mich donnern,

Zu den erblichenen Schatten des Erebus, tief in die
  Nacht hin;

ich, o Scham, dich kränk', und deine Verpflich-
.tungen löfe!

mein Jugendgemahl, er nahm die Liebe.der Gattin.

fich hinweg; er hab' und behalte fie ewig im
Grabe!

Jene fprachs, und ihr nezten die Bruft vordrin-
gende Thränen. 30

ıa darauf: O mehr denn das Licht mir theuere
Schwefter,

lft du Einfame ftets dein jugendlich Alter ver-
trauern,

l nie fchmeichelnde Söhn' und Seligkeit kennen
der Liebe?

hnft du, dafs hierum Staub und beftattete Manen
fich.kümmern?

hl! dich Traurende beugte bisher nie einer der
Männer 35

ya's, noch in Tyrus zuvor; verfchmäht ift
Iarbas,

l viel andere Fürften, die Afrika, reich an Tri-
umfen,

ıgete: willft du anjezt auch gefälliger Liebe dich
ftreuben?

nmt dirs nie in den Sinn, auf welcher Gebiet du
dich anbauft?

r Gätulierftädt', ein Gefchlecht ungebändigter
Kriegswut, .40

niderhorden umher, und die ungaftfreundliche
Syrte;

ıt in verödendem Durft Sandgegenden, und der
Barcäer

Rafender Schwarm. Was nenn' ich die Krieg', auf-
　　　　　　steigend von Tyrus,
Und Pygmalions Drohn? . . .

45 Durch vorforgende Götter fürwahr und die Gnade der
　　　　　　Juno
Fanden im Winde den Lauf hieher die troifchen
　　　　　　Barken.
Welche Stadt hier fchauft du hinfort! wie hebet das
　　　　　　Reich fich,
Schwefter, durch folchen Gemahl! In der teukrifchen
　　　　　　Waffen Vereinung
Wird, o wie hoch an Gewalt, der punifche Ruhm fich
　　　　　　entfchwingen!

50 Du nur bitte die Götter um Huld, und nach fühnen-
　　　　　　dem Opfer
Gieb den Bewirtungen Raum, und erfinn' Urfachen
　　　　　　der Säumnis;
Weil noch tobt auf dem Meere der Sturm und der
　　　　　　Regner Orion,
Weil noch Trümmer die Flött', und uneinladend die
　　　　　　Luft ift.

So nun redend erhob fie die Glut der Liebe zu
　　　　　　Flammen,
55 Gab dem bedenklichen Sinne Vertraun, und wiegte
　　　　　　die Scham ein.
Tempel befuchen fie ftracks, und erflehn an Göt-
　　　　　　teraltären
Frieden und Heil; fie opfern erkohrene Schafe dem
　　　　　　Phöbus,
Dir, anordnende Ceres, und dir, o Vater
　　　　　　Lyäus,

Doch der Juno zumeist, die das Band der Vermäh-
<blockquote>lungen knüpfet.</blockquote>

Jene, die Schal' in der Hand, die an Reiz holdselige
<blockquote>Dido,</blockquote> 60

strömt der schimmernden Kuh den Festwein zwischen
<blockquote>die Hörner;</blockquote>

Oder sie wandelt einher vor der Ewigen fetten Altä-
<blockquote>ren,</blockquote>

feirt mit Geschenken den Tag, und im offenen Busen
<blockquote>des Viehes</blockquote>

Forscht sie mit starrendem Blicke die athmenden Ein-
<blockquote>geweide.</blockquote>

Ach unkundige Seher an Geist! Was frommen Ge-
<blockquote>lübd' ihr,</blockquote> 65

Was der Bethörten die Tempel? Es zehrt die ge-
<blockquote>schmeidige Flamme</blockquote>

Fort im Mark, und geheim lebt unter der Brust ihr
<blockquote>die Wunde.</blockquote>

Brennend ihr Herz, durchschweift sie, die un-
<blockquote>glückselige Dido,</blockquote>

Hastig die Stadt: gleichwie von geschnelletem Pfeile
<blockquote>die Hindin,</blockquote>

Welche von fern unvermutet ein Hirt in den kreti-
<blockquote>schen Wäldern</blockquote> 70

Traf mit verfolgender Wehr, und das fliegende Eisen
<blockquote>zurückliefs,</blockquote>

Ohn' es zu' schaun; die Gehölz' in der Flucht und die
<blockquote>Thale des Dikte</blockquote>

Rennt sie hindurch; fest haftet das tödtliche Rohr in
<blockquote>der Seite.</blockquote>

Jetzo führt sie gesellt durch die Gassen einher den
<blockquote>Äneas,</blockquote>

75 Zeigt die fidonifche Pracht, und zeigt die bereitete
Stadt ihm;

Auszufprechen beginnt fie, und ftockt in der Mitte
des Wortes.

Jezo, fobald fich neiget der Tag, fucht jene das Gaft-
mahl;

Dann die ilifchen Kämpf'; Unfinnige! wieder zu hören,

Fodert fie, ach und hängt an dem Mund des Erzäh-
lenden wieder.

80 Wann fie darauf fich getrennt, und das Licht die er-
dunkelnde Luna

Jezo verbirgt, und laden die finkenden Sterne zu
Schlummer;

Einfam traurt fie im leeren Gemach, aufs verlaffene
Lager

Wirft fie fich; jenen, entfernt den Entferneten, hört
fie und fchaut fie.

Oft den Askanius auch, von des Vaters Bilde bezaubert,

85 Hält fie im Schoofs, um zu teufchen die unausfprech-
liche Liebe.

Nicht mehr fteigt den Thürmen der Bau; nicht übet
die Jugend

Waffen hinfort; nicht Hafen, noch fichere Wehren
des Anfalls

Schaffen fie; mitten gehemmt ruht jegliches Werk,
und der Mauern

Hoch aufftrebender Troz, und die himmelnahen Ba-
fteien.

90 Als von folchem Verderb fie bewältiget fahe die
Gattin

Jupiters, und daſs ſogar nicht Leumund ſtöre den
        Wahnſinn;

Naht mit ſolcherlei Rede Saturnia jezo der Ve-
        nus:

    Traun, vorragendes Lob und herliche Beute ge-
        wannt ihr,

Du und der Knabe mit dir! O groſs und erhaben
        die Obmacht,

Wenn ein Weib durch den Trug zwei himmliſcher
        Götter beſiegt wird!   95

Auch nicht blieb mir verhehlt, daſs, ſcheu vor unſe-
        ren Mauern,

Du in Verdacht die Häuſer gehabt der hohen Kar-
        thago.

Doch wo endlich das Ziel? und wozu noch ſolche
        Beeifrung?

Mög' uns ewiger Friede vielmehr und ehliches Bünd-
        nis

Einigen! Was du geſucht mit ganzer Seele, das haſt
        du.   100

Dido flammet in Lieb', und im Innerſten tobt ihr der
        Wahnſinn.

Drum mit gleicher Gewalt laſs uns, und gemeinſamer
        Obhut,

Lenken das Volk. Gern mag ſie dem Phrygiergatten
        ſich feſſeln,

Gern die tyriſchen Männer zum Brautſchaz bringen
        dir ſelber!

    Wiederum (dem ſie merkte, wie heuchleriſch
        jene geredet,   105

Daſs ſie der Italer Reich ablenkt' auf libyſche Kü-
        ſten)

Redete Venus darauf: O finnlos wäre, wer fol-
    ches,

Weigerte, oder fich wählte, mit dir im Kampfe zu
    eifern!

Wenn nur, fo wie du fagft, das Gefchehene Segen
    begleitet!

110 Aber mich hält das Gefchick unftät, ob Jupiter
    eine

Stadt für die Tyrier will und die Ausgewanderten
    Troja's,

Ob er der Völker Verein und gefchloffenes Bündnis
    genehmigt.

Dir, der Gattin, gebührt, fein Herz durch Flehn zu
    verfuchen.

Frifch nur; ich folg'. — Ihr drauf antwortet die
    Königin Juno:

115   Mein fei jenes Gefchäft. Doch welcherlei Weg,
    was bevorfteht,

Auszuführen fich bahne, vernim mit Wenigem
    jezo.

Morgen gedenkt mit Äneas die unglückfelige
    Dido

Jagen zu gehn in den Forft, fobald aus tagender
    Dämmrung

Neu fich Titan erhebt, und mit Glanz umftralet den
    Erdkreis.

120 Dort ein fchwarzes Gewölk, mit Hagelfchauer be-
    laftet,

Weil die gefchäftigen Rotten die Thal' umftellen mit
    Fanggarn,

Schütt' ich hinab, und errege mit hallendem Donner
    den Himmel.

Rings fich zu bergen entfliehn in den dunkelen Wald
die Begleiter.

Dann zur felbigen Kluft gehn Dido und der Gebieter

Troja's ein. Selbft komm' ich, und, fteht dein Wille
mir ficher,   125

fei fie in Ehe gefellt, als eigene Lagergenof-
fin.

Dort fei das bräutliche Feft. — Nicht abgeneigt dem
Gefuche

Nickt' und lächelte fchlau der gefundenen Lift Cytherea.

Jezt des Oceanus Fluten verläfst auffteigend Aurora.

Rafch in dem Frühlicht geht aus dem Thor die erle-
fene Jugend;   130

Mafchiges Garn, Jagdfchlingen, und breit vorblin-
kende Spiefse

Ziehn, und maffylifche Reiter hervor, und ftöbernde
Koppeln.

Noch verweilt im Gemache die Königin, und an der
Schwelle

Harren die Edlen des Volks; in Gold' hochprangend
und Purpur,

Stampfet das Rofs, und knirfcht mutvoll am befchäu-
meten Zügel.   135

Endlich trit fie hervor, umdrängt von grofser Begleitung,

Schön in Sidonergewand mit farbiger Borte geklei-
det:

Lauteres Gold ihr Köcher, in Gold geknotet das
Haupthaar,

Und von goldener Schnalle geſchürzt ihr purpurn
    Jagdkleid.

140 Auch die phrygiſchen Männer zugleich, und fröhli
    Iulus,

Wandeln einher. Er ſelbſt; an Schönheit ragend v
    Allen,

Beut als Genoſs Äneas ſich dar, und ſchlieſset d
    Zug an.

So wie von Lycia's Winter daher und dem ſtrömen
    den Xanthus

Kommt, und Delos, ſein Muttergefild', heimſuchet
    Apollo,

145 Tanz und Geſang zu erneun, und gemiſcht um die
    hohen Altäre

Kreter und Dryoper toſt, und ein farbiger Schwarm
    Agathyrſer;

Er trit hoch auf dem Cynthus einher, und das flie-
    ſsende Haupthaar

Hemmt er in weichem Laube gefügt, und umſchlin-
    gendem Golde;

Laut auf der Schulter ertönt das Geſchoſs: nicht ſäu-
    miger wandelt

150 Jezt Äneas; ihm ſtralt Anmut vom erhabenen Ant-
    liz.

    Als man klimmend erreicht des Gebirgs unweg-
    ſames Dickicht;

Siehe vom Scheitel der Klipp' hertaumelnde Gemſen
    der Wildnis

Stürzen die Jähen herab; von der anderen Seite
    durchfliegen

Offene Felder im Lauf, und drängen ſich flüchtige
    Hirſche,

ng' in ßäubende Rudel gefchaart, und verlaſſen den
Bergwald. 155

er Aakanius ſprengt auf mutigem Roſs in die Thäler

öhlich, und rennt bald dieſen im Lauf, bald jenen
vorüber;

ls doch zum feigen Gefchlecht auch ein fchäumen-
der Eber fich biete,

ehet er, dafs von den Höhen doch ſteig' ein gelblicher Bergleu.

Jezo beginnt ein Gemurmel heraufzurollen am
Himmel, 160

ehr und mehr; da entſtürzt mit Hagel der Guſs den
Gewölken.

Rings nun Tyrierfchaaren fowohl, als troiſche Jugend,

Und der dardaniſche Enkel der Cypria, fliehn durch
die Äcker,

Obdach ſuchend in Furcht; es entrauſcht Berghöhen
die Sündflut.

Dann zur felbigen Kluft gehn Dido und der Gebieter 165

Troja's ein. Gleich fandte die Erd' und die fchleiernde
Juno

Zeichen: die flammenden Bliz', und, des Bunds mit-
kundig, der Äther,

Leuchteten; hoch von dem Scheitel erfcholl Weh-
klage der Nymfen.

Jener Tag war des Todes Beginn, ach jener des Un-
glücks

Erfter Beginn. Es bewegt nicht Ruf fie ferner, noch
Anftand; 170

Und nicht heimliche Freuden erfinnt die. fe
     tende Dido:
Ehe nennt' fie es; fo wird Schuld durch Namen
     fchönigt.
   Ohne Verzug geht Fama durch Libya's
     Städte:
Fama, behende von Schwung, wie fonft kein an
     Scheufal.
175 Rührigkeit mehrt ihr Gedeihn, und kräftiger wird
     im Fortgehn;
Anfangs klein und verzagt; bald hoch in die L
     fich hebend,
Trit fie einher auf dem Boden, und birgt in den W
     ken die Scheitel.
Tellus die Zeugerin hat, durch Zorn der Götter
     bittert,
Jene zulezt, wie man fagt, des Enceladus Sch
     und Cöus,
180 Aufgenährt, an der Ferfe gefchwind' und ftrebenden
     Flügeln.
Gräfsliche Riefengeftalt! fo viel an dem Leibe
     Federn,
So viel wachfame Augen, o Graunbild! regen fich
     drunter,
Zungen fo viel, und Mäuler voll Schalls, und gerich-
     tete Ohren.
Nachts durchfliegt fie die Schatten, im Mittel der Erd'
     und des Himmels,
185 Zifchend, und neiget den Blick niemals dem erlaben-
     den Schlummer:
Tages hält fie die Hut, bald hoch auf dem Giebel des
     Daches,

auf dem luftigen Thurm, und erschreckt volk-
        wimmelnde Städte,

f Lug und Falsches erpicht, als Botin der Wahr-
        heit.

  verbreitete nun vielfältige Rede den Völ-
        kern,

enfroh, was geschehen, und nicht geschehen,
        verkündend: 190

angt sei Äneas, ein Mann von troischer Ab-
        kunft,

sich als Weib zu gesellen die reizende Dido ge-
        würdigt;

durchschwelge das Paar, uneingedenk der Ge-
        biete,

den Winter in Pracht, unlöblicher Lüsternheit
        fröhnend.

raunt' und füllte den Mund der Männer das
        Scheusal.   195

Stracks nun lenkt sie den Lauf zum herschenden
        König Iarbas,

sie entflammt durch Reden das Herz, und häufet
        den Zorn ihm.

ons Sohn und der Nymfe, die jener geraubt,
        Garamantis,

er im weiten Gebiet Zeus hundert gewaltige
        Tempel,

lert Altäre gestellt, und ewige Flamme gehei-
        ligt,   200

nie rastende Wache der Himmlischen, immer
        von Blut auch

n Grund, und in schönem Geflecht stets blü-
        hende Schwellen.

Diefer, das Herz finnlos, und entbrannt von dem
    ben Gerüchte,
Betete vor den Altären, im Anfchaun waltender
    ter.
205 Vieles zu Zeus demütig mit rückwärts rager
    Händen:
    O allmächtiger Zeus, dem fchmaufend auf f
    gen Polftern
Jezt maurufifches Volk abträuft den lenäifchen
    wein,
Schaueft du dies? Was? Vater, vor dir, wem
    Stralen herabfchwingft,
Schaudern umfonft wir in Angft? Blind flieg
    Glut in den Wolken
210 Schreckt der Sterblichen Sinn, und verrollt mit 1
    tigem Murmeln?
Jene, das Weib, die verirrt an unferen Grenzer
    Städtlein,
Arm und gering', aufbaute für Preis, der zu pfl.
    den Meerftrand,
Der wir Beding des Ortes verliehn, ftöfst unfre
    mählung
Weg, und empfängt in das Reich den Oberher
    Äneas!
215 Und der Paris nunmehr, von dem Trupp Halb
    ner begleitet,
Mit mäonifcher Haube das Kinn und das trief
    Haupthaar
Untergeknüpft, der geniefset des Raubs! Wir tr
    ja billig
Dir in die Tempel Gefchenk, und pflegen des ei
    Rufes!

ın, der folches Gebet ausrief, und den hohen
  Altar hielt,

Zeus, und wandte zur Königsveſte die Augen,   220

ıf das liebende Paar, das vergaſs des edleren
  Rufes.

Merkurius redet er nun, und folches gebeut er:

eh' doch, Zefyre rufe dir, Sohn, und entgleite
  mit Flügeln;

ȝn dardaniſchen Held, der bei tyriſchem Volk
  in Karthago

ınd Städte, gewährt von dem Schickfal, weiter nicht anfchaut,   225

ermahn', und trage mein Wort windfchnell
  durch die Lüfte.

ja verhieſs uns jenen die fchöne Gebärerin
  alſo,

ntzog ihn daher zweimal den pelasgiſchen Waffen;

der Italia einſt, voll keimender Herfchaft und
  Kriegsluft,

ɩe, der das Gefchlecht vom erhabenen Blute des
  Teukrus   230

ugt', und ringsher mit Gefez umfaſste den Erdkreis.

nicht jenen entflammt die Herlichkeit folcher
  Vollendung,

r um eigenen Ruhm nicht felbſt anftrenget die
  Arbeit;

r denn Roms Burghöhn dem Askanius neiden,
  der Vater?

235 Was doch beginnt, was hoft er, und weilt in
feindlichen Volke,

Nicht den Ausonierstamm und lavinische Flure:
trachtend?

Segel' er! So der Bescheid; so meld' ihm u
Botschaft!

Jupiter sprachs; rasch folgte der Sohn de
waltigen Vaters

Hohem Befehl. Erst fügt er sich Ferfengeräth u:
Knöchel,

240 Goldenes, das ihn, erhöht auf Fittigen, über die 1
flut

Und das Gefild' hinträgt, wie im reifsenden H:
des Windes.

Jezo fafst er den Stab, der erblichene Seelen
Orkus

Aufruft, oder hinab in den traurigen Tartarus
det,

Schlummer giebt und enthebt, und vom Tod'
die Augen entfiegelt.

245 Hiermit treibet er herfchend die Wind', und (
wirrige Nebel

Schwimmet er. Jezo enthüllt fich dem Schwebe
riefengeftaltig

Atlas, welcher den Himmel auf ragender Scheitel
porträgt,

Atlas, dem in der Wolken umhüllendem Dunke
ftändig

Sturmwind geifselt und Regen das Haupt voll fa
der Fichten.

250 Schnee liegt weifs um die Schulter gehäuft, von
Kinne des Greifes

n sich Ströme herab, Eis starrt in des Bartes
Verwildrung.

nun senkt der Cyllener zuerst gleichschwebende
Flügel,

und übergebeugt mit ganzem Leibe zur Meerflut

ngt er sich, ähnlich dem Vögel, der rings an
Gestaden, und ringsher

schwimmelnde Klippen gesenkt fliegt über die
Wasser: 255

er Gestalt dort zwischen der Erd' und dem Himmel entschwingt sich

den gespaltenen Wind zu Libya's sandigem
Ufer

Sohn, herkommend vom Ahn, der cyllenische
Herold.

Als mit gefittigter Sohl' er berührt die afrischen
Hütten;

t er, wie dort Äneas Paläst' aufthürmet' und
Häuser 260

lete. Aber gestirnt mit blafsgrün schimmern-
dem Jaspis

ihm das Schwert; und es brannt' in tyrischer
Röthe der Mantel,

nd die Schultern herab: ein Geschenk, das die
prangende Dido

gewebt, und köstlich mit goldenem Lahne
durchwirket.

ch fährt er ihn an: Du legst der hohen Karthago 265

len Grund, und herlich empor, Weibsüchtiger,
bauest

Hier du die Stadt, dein Reich und die eigene M
         so vergessend?

Selbst er sendet mich dir aus olympischem Gl
         der Götter

Oberster Fürst, der Himmel und Erd' umdrehe
         Allmacht;

270 Selbst er heisst mich tragen sein Wort windsc
         durch die Lüfte.

Was doch beginnst, was hofft du, und säumst ii
         byerlanden?

Wenn dich selbst nicht rühret die Herlichkeit so
         Vollendung,

Und du um eigenen Ruhm nicht selbst anstrenge
         Arbeit;

Schau, wie Askanius blüht, o schau des E
         Iulus

275 Hofnungen, dem ein Romänergefild' und It
         Herschaft

Gab das Geschick! — Als kaum der Cyllenier
         geredet;

Mitten im Wort abscheidend verliess er den l
         lichen Anblick,

Und fernhin aus den Augen in wehende Lüfte
         schwand er.

Aber der Held Äneas verstummt' angstvoll
         Erscheinung;

280 Aufwärts hob sich vor Grauen das Haar, und es st
         der Laut ihm.

Schleunig in Flucht zu verlassen die lieblichen
         genden, brennt er,

Auf wie vom Donner geschreckt, vor dem Wink
         Gebote der Götter.

vas thun? Wie ſoll er der Königin jezo im Taumel

n mit Rede zu nahn? wo zuerſt hernehmen den
Anfang?

nun fliegt der Gedank' hierhin, bald flieget er
dorthin,   285

;ift nach verſchiedenen Seiten geraſt, und wendet ſich ringsum.

: Entſchluſs däucht endlich dem oft úmwech-
ſelnden beſſer.

heus wird und Sergeſtus beſtellt, und der tapfre
Kloanthus,

lich zu rüſtèn die Flott', und die Freund' ans
Geſtade zu ſammeln,

n bereit zu halten, und, was der Neuerung
Grund ſei,   290

zu geſtehn. Er ſelber indeſs, da die redliche
Dido,

unbewuſst, nicht träume den Bruch ſo ſeliger
Liebe,

, den Zugang ſpähn, und die ſanftere Stunde
des Redens,

wie mit Fug das Geſchäft ſich fertige. Alle ge-
horſam

n mit Luſt dem Gebot, und beſchleunigen, was
er geordnet.   295

Aber der Königin Herz (wer kann wol Liebende teuſchen?)

:e Trug, und vernahm die leiſeſte Regung der
Zukunft,

, vor dem Sicheren ſelbſt. Der Zerrütteten
raunte das Scheuſal

Fama geheim, man rüfte die Flott', und bereite
Abfahrt.

300 Sinnlos tobt fie einher, und entbrannt durch
Räume der Stadt hin

·Schwärmet fie: wie die Thyad' auffürmt bei des
ren Geräthes

Schau, wann mit Bacchusgetön dreijähriger Or
Taumel

Reizet die Wut, und nächtlich von Ausruf hallt
Cithäron.

Endlich wendet fie nun freiwillig das Wort
Äneas:

305 Auch zu verhehlen fogar, Bundbrüchiger, folc
lei Frevel,

Haft du gehoft, und heimlich aus meinem Gebie
entweichen?

Nicht hält unfere Lieb', und nicht der gegebene H
fchlag,

Nicht auch hält dich die bald graufam hinfterbe
Dido?

Selbft noch im Wintergeftirn arbeiteft du haftig
Flotte,

310 Und nach wogendem Meere verlangt dich mitter
Nordfturm,

Graufamer Mann? Was? wenn nicht Fremdli
fluren du fuchteft,

Und unerkundeten Siz, wenn uralt dar
Troja;

Würd' izt Troja gefucht durch brandendes Wo
getümmel?

Flieheft du mich? Bei den Thränen, bei deiner H
du Geliebter,

l ja ich Arme mir felbft nichts anderes übrig ge-
lassen!) 315

ei unferer Ehe befchwör' ich dich, unferer Hoch-
zeit!

ι ich je dir Gutes gethan, wenn etwas von
Dido

dir war; o erbarm dich des finkenden Haufes,
und findet

noch Raum, fo fleh' ich, entäufsre dich jener
Gefinnung!

thalb find Libyerftämm' und Nomadenbeher-
fcher 320

, mir, und Tyrier gram; ach deinethalb ift er-
lofchen

: und Scheu, ja felbft, was allein mich zum Himmel emporhub,

er Ruf! Wem läffeft du hier mich Sterbende,
Gaftfreund?

dér Namen allein vom Ehegemahl mir zurück-
bleibt!

noch gefäumt? bis Pygmalion mir, mein Bruder,
die Mauern 325

irzt, oder gefangen mich führt der Gätúler
Iarbas?

zum wenigften mir ein Denkmal unferer
Liebe,

du flöheft, gewährt; und fpielt' ein kleiner Äneas

in dem Hofe herum, der dir doch gliche von
Antliz!

ht fchien' ich mir ganz die Gefangene, oder die
Wittwe! 330

12*

Dido fprachs.　Er, folgend dem Jupiter, h
　　　　　unverwendet

Seinen Blick, und hemmte den Schmerz anring‹
　　　　　im Bufen.

Kurz antwortet er jezt: Wie mancherlei Gutes
　　　　　immer

Aufzuzählen vermagft; niemals, o Königin, leu
　　　　　ich,

335 Was du verdient; nie foll der Gedanke mich reun
　　　　　Eliffa,

Weil mein felbft ich gedenk', und Geift mir die G
　　　　　der belebet!

Kurze Vertheidigung nun.　Nicht hab' ich dir, t
　　　　　fche dein Herz nicht,

Diefe Flucht zu verbergen gehoft; auch nimmer
　　　　　Brautkiens

Vorwand hab' ich gebraucht, noch geftrebt nach
　　　　　cherlei Bündnis.

340 Wenn das Gefchick mir gönnte, nach eigenem Wi
　　　　　des Lebens

Mich zu erfreun, und zu ordnen nach Willkühr,
　　　　　ich verlange;

Erft die troifche Stadt und die theueren Refte
　　　　　Meinen

Pflegt' ich in Lieb'; es daurte des Priamus thürme›
　　　　　Wohnung;

Ja den Befiegten aus Schutt' hätt' ich Pergamus ›
　　　　　der gebauet.

345 Doch in Italia nun heifst mich der Gry›
　　　　　Apollo,

Mich fein lycifches Loos in die grofse Italia w
　　　　　dern.

mein Wunfch, dort Vaterbezirk. Da die hohe
Karthago

die Pönerin, weilt, und die libyfche Stadt dich
vergnüget;

wenn Teukrergefchlecht im Aufonierlande fich
anbaut,

ft du fcheel? Auch uns ziemt anderswo Reiche
zu fuchen!   350

mein Vater Anchifes, fo oft mit thauigem Dunkel

die Länder umhüllt, und blinkende Sterne her-
vorgehn,

t mich immer im Traum, und fchreckt, ein
düfteres Bildnis.

Askanius mahnt, und das Unrecht meines Geliebten,

um Hesperia's Reich und die Schickfalsfluren ich
teufche.   355

hat der Ewigen Bote, gefandt von Jupiter
felber,

ze mein Haupt und deins!) den Befehl windfchnell durch die Lüfte

ebracht. Selbft fchaut' ich den Gott in leuchten-
der Klarheit,

er zur Stadt einging, und den Laut mit den
Ohren vernahm ich.

ze, mir fo die Seele wie dir zu entflammen durch
Vorwurf!   360

Italia mufs ich und will! . . .

Längft den Redenden fchon betrachtete jene gewendet,

Hier hinrollend die Augen und dort; ganz über u
   ſchweift ſie

Ihn mit verſtummendem Blick, und entbrannt n
   redet ſie alſo:

365 : Dir nicht Mutter die Göttin, noch Dardanus Ah
   des Geſchlechtes,

Freveler! Nein dich zeugt' aus hartem Granit de
   umſtarrte

Kaukaſus., und dir reichten hyrkaniſche Tiger di
   Brüſte.

Was noch gehehlt? zu welchem noch gröſseren ſpa
   ich mich länger?

Hat er geſeufzt, da ich weint'? hat nur mit dem Au
   er geblinket?

370 Brach ihm in Thränen das Herz? und zeigt' er d
   Liebenden Mitleid?

Was iſt minder, was mehr? Nie ſchaut die erhaber
   Juno,

Nie der ſaturniſche Vater auf dies mit ruhige
   Antliz.

Nirgendwo Treue noch Dank! Den geſtrandeten, da
   benden Fremdling

Nahm ich auf, und gab ihm ein Theil des Reiche
   ich Thörin!

375 Seine verlorene Flott' und die Freund' entzog i
   dem Tode!

Ha, von den Furien tob' ich entbrannt! Jezt deut
   Apollo,

Jezt ein lyciſches Loos, jezt bringt ihm von Jupit
   ſelber

Gar der Ewigen Bote den grauſen Befehl durch d
   Lüfte!

, defs find ja die Götter beforgt, folch Trachten
   bekümmert

die Ruh! Doch ich halte dich nicht, und be-
   kämpfe dein Wort nicht!   380

ıach Italia', geh, und erfegele Reiche durch
   Meerflut.

ıh hoffe, du follft, wenn fühlende Mächte noch
   walten,

Geklipp abbüfsen die Schuld, und gepeiniget
   Dido,

umfonft ausrufen! Ich folg' abwefend mit
   fchwarzer

ıglut; und entfeelte der kalte Tod mir die
   Glieder,   385

ts fchwebt mein Schatten um dich. Dann hülfe
   mir, Unmenfch!

dann hör' ich, wie froh! das Gericht bei den
   Manen des Abgrunds!

prachs, und mitten im Worte die Red' abbrechend, entfloh fie

der Luft, und eilte hinweg, aus den Augen
   fich hebend

, der Vieles in Angft noch fäumt', und Vieles
   zu reden   390

ete. Mägd' izt reichen den Arm, und die finkenden Glieder

ı fie heim in das Marmorgemach, auf Polfter
   fie legend.

ıber der Held Äneas, wie fehr er die Leidende
   wünfchet

ıchten durch Troft, und den Schmerz durch
   Worte zu lindern,

395 Viel auffeufzend, und ganz von erfchütternder L
        bewältigt;

Doch vollführt er der Götter Gebot, und die F
        befucht er.

    Jezt arbeiten die Teukrer mit Macht, und z
        von dem Meerftrand

Rings hochbordige Schiff' in die Flut; der gefal
        Kiel fchwimmt.

Noch grünlaubige Ruder und rohes Gebälk aus
        Wäldern

400 Tragen fie her, in Begierde der Flucht. . . .

Wandernde dort, und rings aus der Stadt Vor
        zende fah man:

Wie wenn ein Schwarm Ameifen den mächtigen l
        fen des Speltes

Gierig zerrafft, für den Winter beforgt, und verw
        im Obdach;

Dunkel geht im Felde der Zug, und den Raub d
        die Kräuter

405 Führen auf fchmalem Steig fie daher; theils dr
        man des Kornes

Grofse Laft mit der Schulter geftemmt; theils t
        man den Heerzug,

Züchtigend Säumnis und Raft; rings glüht von
        werbe der Fufspfad.

    Was doch jezt, o Dido, empfandeft du, d
        betrachtend?

Ach wie feufzte dein Herz, als weit im Gewin
        den Meerftrand

410 Schwärmen du fahft vom Gipfel der Burg, und
        die Gewäffer

eten dir vor den Augen vom Ruf und Jauch-
  zen der Männer?

, du Graun, was nicht von der Sterblichen Herzen erzwingst du?

ten noch eins zu verfuchen, noch eins fich zur
  Bitte zu wenden,

fie gedrängt, und zu beugen den Troz in lie-
  bendes Anflehn;

fie nichts ungeprobt, die umfonft Hinfterbende,
  laffe. 415

Anna, du fiehft, wie haftig es dort an dem Ufer
  umherwühlt.

s drängt alles heran; fchon ruft auch den Lüften
  die Leinwand;

ihr Steuerverdeck umkränzeten fröhliche Schiffer.

n ich vorausfehn konnte den Tag fo grofser Betrübnis,

eftor, ich werd' ihn können beftehn. Dies eine
  nur, Anna, 420

te mir Elenden aus. Dich allein ja hielt der
  Verräther

h, und vertrauete dir die Geheimniffe felber des
  Herzens;

lur kannteft die Stunden des Manns, und den
  fanfteren Zugang.

o Schwefter, und rede zum trozigen Feinde mit
  Dèmut.

mit dem Danaervolke der Troer Gefchlecht zu
  vernichten 425

hur ich im aulifchen Port, noch fandt' ich gen
  Pergamos Seemacht;

Nie auch dem Vater Anchifes zerrüttet' ich Manen
und Afche.

Warum wehret er denn mein Wort von dem graufamen Ohre?

Welcherlei Haft! O das lezte Gefchenk der Ver-
fehmachtenden gönn' er:

430 Dafs er bequemere Flucht abwart', und günftigen
Fahrwind!

Nicht um die alte Vermählung annoch, die er fchän-
dete, fleh' ich;

Nicht dafs er Latium lafl', und des herlichen Reiches
ermangle:

Leere Zeit nur verlang' ich, nur Ruh und Weile
dem Wahnfinn,

Bis mein Gefchick mich Gebeugte den Gram zu dulden gelehret.

435 Diefes zulezt erfleh' ich als Gunft! O erbarm dich
der Schwefter!

Schafft du mir dies, ich werd' es gehäuft mit Tod
ihm erwiedern!

So wehklagete fie, fo trug die bekümmerte
Schwefter

Wieder und wieder das Flehn. Doch kein Wehklagen und Anflehn

Rührt ihn; nimmer bewegt ein einziges Wort ihm
den Starrfinn.

440 Schickfal hemmt, und ein Gott verfchleufst die Ohren
des Freundes.

Wie wenn der ftämmigen Eich' uralt aufragenden
Kernwuchs

Alpenftürme des Nords, hierhin arbeitend und dorthin,

:udrehn anringen mit Macht; laut fauft es, und
    hochauf

m des erfchütterten Stamms abfallende Zweige ():•.
    den Boden;

ı fie haftet im Fels; und, wie weit ihr Haupt zu
    des Äthers   ·   445

en fie hebt, gleich weit in den Tartarus dehnt fie
    die Wurzel:

vird immer der Held dorther mit Worten und
    daher

:drängt, und fühlet in grofsem Herzen den Kum-
    mer;

ı feft bleibet der Sinn; nur nichtige Thränen ent-
    rollen.

Aber die unglücksfatte, vom Schickfal geängftete
    Dido   450

ıfcht den Tod; es verdreufst den gewölbten
    Himmel zu fchauen.

noch mehr fie betreib' ihr Werk, und verlaffe
    das Tagslicht,

fie, Gefchenk' auflegend dem weihrauchflammen-
    den Altar.

ıunvoll lautendes Wort!) wie die heiligen Fluten
    erdunkeln,

. in gräfsliches Blut der gegoffene Wein fich ver-
    wandelt.   455

hes Geficht ward Keinem erzählt, auch der Schwe-
    fter fogar nicht.

rdas war dort im Palaft ein Tempel von Mar-
    mor,

lig dem Jugendgemahl, mit eifriger Ehre ge-
    feiert,

In fchneefarbiger Flaufch' und feftliches Laubes U
   windung.

460 Hieraus fchien es zu tönen, wie Stimm' und Wo
   des Mannes, .

Der ihr rief; wann Nacht die Gefild' umhüllte m
   Dunkel.

Oft auch klagt' auf dem Giebel der todweiffagen
   Uhu

Einfam her, fein langes Geheul ausziehend in Ja
   mer.

Aufserdem noch viele Verkündungen heilig
   Seher

465 Drohn mit entfezlicher Warnung zuvor. Die Zerrü
   tete treibet

Selbft ihr wilder Äneas im Traum; und immer ve
   laffen

Ach fich allein, und immer den langen Weg unbe
   gleitet

Scheint fie zu gehn, und die Tyrer im öden Land
   zu fuchen.

So wie der Furien Schwarm einft fah der rafende
   Pentheus,

470 Und die gedoppelte Sonn' und die zwiefach fchei-
   nende Thebe;

Wie Agamemnons Sohn, verfolgt auf den Bühnen,
   Oreftes

Flieht, wann mit Bränden bewehrt und dunkelen
   Schlangen die Mutter

Folgt, und gefezt auf der Schwelle die rächenden Diren ihn androhn.

Als fie. nummehr ganz fafste, die Abgehärmte,
   den Wahnfinn,

zu sterben beschlofs; nun Zeit mit sich selber
und Weise . 475

let sie; dann zur Schwester, der traurenden,
spricht sie genahet,

t den Entschlufs mit der Mien', und klärt auf
der Stirne die Hofnung:

Schwester, ich fand es, ich fand, o freue dich,
Traute, das Mittel,

ihn wieder mir schaft, der Liebenden, oder mich
löset.

les Oceanus Rande, der sinkenden Sonne benach-
bart, 480

das äufserste Land der Äthiopen, wo At-
las

t auf der Schulter den Pol, mit brennenden
Sternen umheftet.

vom Maffyliervolk bot mir sich die Priesterin
neulich,

für Hesperus Töchter des Tempels pflegte, dem
Drachen

ung reicht', und bewahrte die heiligen Äste des
Baumes, 485

n sie mit thauigem Honig betäubenden Mohn
ihm gesprenget.

ə verheifst durch Zauber das Herz machtvoll zu
entfesseln,

hem sie will, und zu senden dem anderen quä-
lende Schwermut,

ne zu hemmen im Lauf, und zurück die Gestirne
zu drehen.

tliche Manen entruft sie der Erd'; aufbrüllen
auch sieht man 490

Unter dem Fuſe das Land, und vom Berg' abſteiͅ
die Ornen.

Traun, bei den Ewigen, Theure, bei dir, o Schweſ
und deinem

Lieblichen Haupt! ungern zu magiſchen Künſten m
wend' ich!

Richte geheim Brandſcheiter im inneren Hofe ͅ
Himmel;

495 Dann die Wehr, die geheftet der Freveler lieſs in ͅ
Kammer,

Und was ſonſt er getragen am Leib', und das ͅ
der Vermählung,

Ach mein Unglück! lege darauf. Zu vertilgen
Denkmal'

Alle des ſchandbaren Mannes, behagt; und die P
ſterin lehrt es.

Alſo ſprach ſie, und ſchweigt; und Bläſſ' ͅ
hüllet das Antliz.

500 Doch nicht Anna vermeint, daſs unter den ſeltſaͅ
Opfern

Tod die Schweſter verhehl', und denkt nicht ſolcͅ
lei Wahnſinn,

Auch nichts Ernſteres ſorgt ſie, wie einſt bei ͅ
Tode Sychäus.

Drum vollführt ſie den Wunſch . . .

Dido, ſobald das Gerüſt in dem Schooſs des
laſtes gen Himmel

505 Aufgethürmt ſich erhob von Kien und geſpalteͅ
Steineich',

Überſpannt mit Gewinde den Raum, und kränzt
mit düſterm

slaub; dann legt fie das Schwert, und was fonft
    er getragen,
. fein Bild auf das Lager, und ftarrt im Gedanken
    der Zukunft.
sum ftehen Altär'; und die Priefterin, fliegendes
    Haars, tönt
nal hundert der Götter, den Erebus donnernd,
    und Chaos,   .   510
ite, dreifachgeformt, dich, dreifach an Haupt, o
    Diana.
auch fprengte fie rings aus erdichtetem Quell des
    Avernus.
iter auch werden gefucht, die die eherne Sichel
    im Mondfchein
:mäht, vollftrozend von Milch des dunkelen Gif-
    tes.
ι wird gefucht, was der Stirn des geborenen Gau-
    les man abrifs,   .   515
s der Mutter entrafte Geluft . . .

. fie felbft, mit Schrot und geläuterten Händen
    am Altar,
n Fufs von Umwindung gelöft, in entgürtetem
    Kleide,
, dem Tode geweiht, die Unfterblichen, ruft des
    Gefchickes
dige Stern', und wo irgend für ungleich liebende
    Herzen   520
ıre Macht noch forget mit Recht und Vergelte,
    der fleht fie.
Nacht wars, und es genofs holdfeligen Schlum-
    mer ermüdet

Alles, was lebt auf Erden; auch Wald und tobe
        Meerflut

Ruhete: jezt da zur Mitte die Stern' hinrollen
        Umlauf,

525 Da rings fchweiget das Feld, und Vieh, und bu
        Gevögel,

Das theils lautere Seen weitum, theils Dic
        rauher

Fluren bewohnt, zum Schlafe gefezt in nächtli
        Stille:

Sorglos labeten alle das Herz, ausruhend von
        beit.

Nur die Phönicerin nicht, die unglückfelige;
        mals

530 Naht ihr der löfende Schlaf, nicht Aug' empfä
        noch Bufen

Stille der Nacht: es erneut fich der Gram, und
        der erwachend

Tobet die Lieb', und fie wogt in des Zorns unbä
        gem Strudel.

Alfo beharrt fie gefafst, und wälzt in der Seele
        Vorfaz:

Ach was Raths? Soll wieder die vorigen F
        verhöhnt ich

535 Angehn, und den Nomaden in Demut flehn um
        mählung,

Die ich fo oft abwies, als mein unwürdige l
        ner?

Alfo der Ilierflotte gefolgt, und herrifcher T
        rer

Niedrem Befehl? weil etwa die vorige Hülfe
        freuet,

unvergeſſen beſteht ihr, Dank für empfangene
        Wohlthat?

wer, wenn ich wollte, vergönnts? wer nimt die
        Verhaſste   540

in den trozigen Bord? Nicht kenneſt du, Thörin,
        du kennſt nicht

meineidiges Herz, des laomedontiſchen Vol-
        kes!

dann? Soll ich allein nachfliehn den jauchzen-
        den Seglern?

ich mit tyriſcher Macht, umſchaart von den Mei-
        nigen allen,

nen daher? Sie, welche nur kaum von Sidon
        ich abriſs,   545

' ich zurück in die Flut, und befehl' in die
        Winde zu ſegeln?

ſtirb, wie du verdienſt; und der Stahl ſei Tilger
        des Schmerzes!

lurch Thränen der Schweſter beſiegt, ach Theure,
        zuerſt; du

ſt auf die Schwärmende ſolch ein Leid, und ver-
        räthſt mich dem Feinde!

: war vergönnt, ſchuldlos unehliche Tage zu le-
        ben,   550

h dem Gewild', und zu bleiben verſchont von
        ſolcherlei Kummer!

iſt die Treue bewahrt, die ich ſchwur dir, ar-
        mer Sychäus!

Alſo ergoſs nun jene der Seel' ausbrechenden
        Jammer.

g lag Äneas im Schlaf, nach entſchiedener Ab-
        fahrt,

555 Hoch auf dem Steuerverdeck, und alles Gefchäft v
  geordnet.

Siehe, des Gottes Geftalt, der in ähnlicher Miene
  rückkehrt,

Schwebt dem Träumenden vor, und ermahnt ihn
  von neuem,

Ganz dem Merkurius gleich, an Stimm' und blüh
  dem Antliz

Und goldlockigem Haar, und lieblichem Reize
  Jugend:

560   Sohn der Göttin, du kannft, da es gilt, ausruf
  im Schlummer?

Schaueft du nicht, was doch ringsher für Gefahr d
  umdrohet?

Thor! und höreft du nicht mitwehende Zefyre
  feln?

Jene wälzt in der Seele Betrug und entfezlic
  Gräuel,

Schon zum Tode gefafst, und wogt im Getümmel
  Zornes.

565 Fliehft du nicht fchleunig hinweg, da Befchleunigi
  noch dir vergönnt ift?

Bald wird wühlen das Meer von Gebälk, bald fch
  du, wie grimmig

Leuchten die Brände daher', bald braufet der Str
  in Entflammung;

Wenn noch hier am Lande dich Weilenden fin
  Aurora!

Eile denn, brich den Verzug! Unftät und veränc
  lich immer

570 Wanket ein Weib! — So fprach er, und fchwand
  nächtliches Dunkel.

Aber der Held Äneas, erfchreckt von dem plöz-
    lichen Schatten,

aus dem Schlafe den Leib, und drängt die Ge-
    noffen mit Eifer:

Schleunig erwacht, ihr Männer, und fezet euch
    all' auf die Bänke!

nt doch die Segel empor! Ein Gott vom erhabe-
    nen Äther,

, ungefäumt zu entfliehn, und die Seile zu haun
    vom Geftade,   575

nt er von neuem uns an! Wir folgen dir, heilige
    Gottheit,

du auch bift, und deinem Befehl willfahren wir
    freudig!

reich komm, Beiftand zu verleihn, und am Him-
    mel erheb' uns

e des Heils! — Er fprachs, und der Scheid' ent-
    raft' er des Schwertes

menden Bliz, und zerhieb mit zuckendem Stahle
    das Strandfeil.   580

h brennt Allen fofort die Begier; da entraft man,
    da ftürzt man.

ell find die Ufer geräumt; es bedeckt Seemacht
    die Gewäffer;

ftrengt drehn Alle den Schaum, und durchfegen
    die Bläue.

Schon beftreute die Lande zuerft Aurora mit
    jungem

enlicht, auffteigend vom Safranlager Titho-
    nus.   585

, fobald von der Warte fie hell nun werden den
    Schimmer

Sah, und die Flott' abziehen mit gleich hinfchweben
den Segeln,

Leer die Geftad', und leer vom Ruderer fchauen
den Hafen;

Wild um den reizenden Bufen zerfchlägt fie fich dreimal und viermal,

590　Und wie die goldenen Locken fie rauft: O Jupiter
gehn foll

Er? und, ruft fie, gehöhnt hat unferes Reiches der
Fremdling?

Fafst nicht Waffen das Volk, und rennt aus der Stadt
ihm gefamt nach?

Stürmt nicht andres die Schiffe vom Strand, die geli-
gerten? Geht doch!

Flammen herbei! rafch Segel gefpannt! und fchwin-
get die Ruder!

595　Ha, was red' ich? wo bin ich? wie tobt mir der
Geift in Zerrüttung?

Jezt, unglückliche Dido, bewegt fein frevelndes Thun
dich?

Da wars Zeit, da das Zepter du gabft! Schau Bündnis und Handfchlag!

Er, der fromm, wie man fagt, mitnahm die Penaten
der Heimat!

Der auf der Schulter getragen den abgelebeten Vater!

600　Konnt' ich nicht den geraften zerhaun, und über die
Meerflut

Ausftreun? nicht die Genoffen, und nicht den Askanius felber

Morden mit Stahl, und dem Vater zum Schmauf'
auftifchen das Söhnlein?

ı leicht hätte geteuſcht der Verſuch des Kampfes.
　　　　　O hätt' ers!

ı wol ſcheute, die Tod ſich erkohr? Glut trüg'
　　　　　ich ins Lager,

ete Bord' und Verdecke mit Glut, und den Sohn
　　　　　und den Vater　　　　　　　　605

' ich mit allem Geſchlecht, und ſtürzte mich ſelbſt
　　　　　in die Flammen!

der du jegliches Thun wahrnimſt im ſtralenden
　　　　　Umlauf,

auch, Mittlerin dieſes Vereins, mitkundige
　　　　　Juno,

te du, der heulen die Städt' auf nächtlichem
　　　　　Dreiweg,

ıhr, rächende Diren, und Götter der ſterbenden
　　　　　Dido:　　　　　　　　　　610

ıs vernehmt, und übet Gewalt, wie verdienet die
　　　　　Bosheit,

, o hört dies unſer Gebet! Wenn rühren den
　　　　　Hafen

das verworfene Haupt, und ans Land zu ſchwim-
　　　　　men ſein Loos iſt,

ſo Jupiters Rath es verlangt, dies Ziel unver-
　　　　　rückt ſteht:

mit Streit und Waffen vom mutigen Volke ge-
　　　　　ängſtigt,　　　　　　　　615

die Grenz' auswandernd, getrennt vom theuren
　　　　　Ïulus,

er um Hülf' anflehen, und ſchaun unwürdige
　　　　　Tode

r Freund'; auch wann er Bedingungen läſtiges
　　　　　Friedens

Eingeht, weder des Reichs, noch erfreuliches Lich
      genieſs' er;
620 Sondern er fall' unzeitig, und lieg' unbeſtattet
      Sande!

So mein Gebet; dies ſeufz' ich, wann Stimm' ı
      Blut mir entſchwindet!

Dann, o Tyrier, hegt dem Geſchlecht und dem ſpı
      ſten Abſtamm,

Hegt ihm ewigen Haſs, und bringt dies Opfer
      Sühnung

Unſerer Gruft! Nicht Liebe ſei je, noch Bündnis ı
      Völkern!

625 Aufſtehn mögeſt du doch aus unſerer Aſche, du
      cher,

Welcher mit Brand ſie verfolget und Stahl, die ı
      daniſchen Pflanzer,

Gleich nun oder hinfort, wann Zeit darbietet
      Kräfte.

Strand entgegen dem Strande, der Flut anſtrebe
      Fluten

Wünſch' ich, Gewehr dem Gewehr; daſs kämpfen
      ſelbſt und die Enkel!

630   Sprachs, und wandte den Geiſt hierhin unrı
      und dorthin,

Suchend des Lichtes ſich bald zu entledigen, das
      verhaſst war.

Kurz nun begann ſie zu Barce, der Pflegerin einſt
      Sychäus;

Denn die ihrige deckte der Staub in der vorigen]
      mat:

      Trauteſte Pflegerin, geh, und rufe mir Anna,
      Schweſter.

fie, den Leib fich fchleunig mit fliefsender
  Welle befprengen,   635
herführen die Schaf' und die anbefohlene Sühnung. :
fie. Du umhülle mit heiliger Binde die Schläfen.
: dem ftygifchen Zeus, die ich fromm anfangend
  bereitet,
' ich zu endigen nun, und ein Ziel zu ftellen   ...:
  dem Kummer,
zu entflammen das Scheitergerüft des dardanifchen Hauptes.   640
Kaum gefagt, da entwankte mit ämfigem Tritte
  die Greifin.
nunmehr auffahrend, und wild vom entfezlichen
  Vorfaz,
oth funkelnde Blicke gerollt, und mit Flecken
  gezeichnet
die zitternden Wangen, und blafs vom nahenden Tode,
it in die inneren Schwellen des Hofs, und er-
  fteiget das hohe   645
tergerüft wutvoll, und den Stahl des Dardaner-
  fchwertes
: fie, ein nicht zu folchem Gebrauch erwórbenes
  ` Denkmal.
nachdem fie die Troergewand' und das trauliche Lager
fchaut, und ein wenig verweilt, nachdenkend
  - und weinend,
fie den Leib auf das Polfter, und fprach ihr
  leztes im Leben: 650

Theuere Liebesgefchenk', als Gott und Gefchick
   es vergönnte,

Nehmt die ermüdete Seel', und befreit mich folcher
   Betrübnis!

Ja ich lebt', und den Lauf, den das Loos mir be-
   fchieden, vollbracht' ich;

Und nun wandelt mein Geift, ein erhabenes Bild, zu
   den Schatten.

655 Herliche Stadt, dich fchuf ich, und fah mir eigene
   Mauern,

Rächte den Mann, und ftrafte den unbarmherzigen
   Bruder.

Glückliche, ach vielleicht zu Glückliche! wären doch
   niemals

Hier dardanifche Kiel' an unferer Küfte gelan-
   det!

   Dann das Geficht in das Polfter gedrückt: Ungerächet denn fterb' ich?

660 Aber ich fterb'! Auch fo, fo freuts in die Tiefe zu
   wandern!

Weid' an dem Feuer die Augen im hohen Meere der
   harte

Dardaner! und ihn begleite mein Tod als düftere Ah-
   nung!

   Als fie noch redete, fchnell in der Mitte des
   Worts von dem Stahle

Sehn fie gefunken die Fraun des Geleits, und die
   Klinge mit Blut ihr

665 Roth umfchäumt, und die Hände befprizt. Hell tönt
   in die hohen

Säl' ihr Schrei, und es tobt das Gerücht die erfchüt-
   terte Stadt durch.

Wehklag' und Jammer und weiblichem Trauer-
            geheul hallt

iches Haus; es erbebt in dem Leidaufruhre der
            Äther:

uger nicht, als ftürzt' einbrechenden Feinden Kar-
            thago

r die altende Tyrós in Schutt, und wüteten Flam-
            men   670

lurch der Sterblichen Giebel gerollt, wie unfterb-
            licher Götter.

Sinnlos hörte den Ruf, und in ängftlichem Laufe
            verwildert

nt fie, die Bruft mit Fäuften entftellt, und die
            Wange mit Nägeln,

en hindurch, die Schwefter, und ruft der Sterben-
            den Namen:

So, du Theuere, war es gemeint? Mich teufch-
            teft du, Schwefter?   675

hat jenes Gerüft, das Glut und Altar mir be-
            reitet?

doch klag' ich Verlafsne zuerft! Die Begleitung
            der Schwefter

du im Tode verfchmäht? O rieffft du zu gleichem
            Gefchick mich!

cher Schmerz hätt' uns beid', und gleiche Stund'
            uns getödtet!

ft mit der Hand ach! baut' ich daran, und den
            heimifchen Göttern   680

iet' ich, dafs, wann alfo du lägft, ich Graufame
            fehlte!

iich, Schwefter, und dich, und das Volk und die
            Väter von Sidon,

Haſt du vertilgt, und die Stadt, dein Werk! Geb
　　daſs ich die Wund'. ihr

Spüle mit Flut; und irrt noch verathmende Seel
　　darüber,

685 Hauch' ich ſie ein! — So redend, erſtieg ſie die obe
　　ren Stufen;

Ach ſie ſchlingt an den Buſen die ſcheidende Schwe
　　ſter, und wärmt ſie,

Bang' aufſeufzend, und trocknet das dunkele Blut mit
　　dem Kleide.

　　Jene verſucht zu heben das ſtarrende Auge, doch
　　kraftlos

Sinket es; tiefgebohrt giſcht unter der Bruſt ihr die
　　Wunde.

690 Dreimal hebt ſie empor auf ſtüzendem Arme ſich;
　　dreimal

Rollt ſie aufs Lager zurück; und hoch mit irrenden
　　Augen

Sucht ſie das Licht am Himmel, und ſeufzt des ge-
　　fundenen Lichtes.

　　Doch die allmächtige Juno, der langen Qual ſich
　　erbarmend,

Und wie ſchwer ſie verſchied, ſandt' Iris herab vom
　　Olympus,

695 Daſs ſie die ringende Seel' auflöſt' und die Bande der
　　Glieder.

Denn weil nicht durch Geſchick, noch ſchuldiges To-
　　des ſie hinſtarb,

Nein vor der Zeit, die Arme, da raſch ſie entflammte
　　der Wahnſinn;

Hatte Proſerpina noch das goldene Haar von der
　　Scheitel

ht ihr entwandt, und das Haupt dem ftygifchen
Orkus verurtheilt.
mit Safranfchwingen im thauigen Lauf durch den
Himmel   700
en die Sonn' hinziehend den taufendfarbigen Bogen,
get hinab, und das Haupt ihr umfchwebet fie:
Diefes geweihte
g' ich zum Dis auf Befehl, und dich entbind' ich
des Leibes!
ach fie, und fchnitt mit der Rechten das Haar ab.
Alle zugleich nun
r verflogen die Wärm', und es fchwand in die
Winde das Leben.   705

ÄNEÏS.

FÜNFTER GESANG.

I N H A L T.

Äneas, durch Sturm nach Sicilien zum trojanifchen Gaftfreund Aceftes verfchlagen, feirt den Todestag des bei Drepa-
num beftatteten Anchifes durch Spiele: Wettrennen zu Schiffe,
Wettlauf, Fauftkampf, Bogenkampf, Schlachtfpiel der Knaben
zu Rofs. Die Weiber, der Seefahrten müde, und von Juno ge-
reizt, werfen Glut in die Schiffe, die, aufser vier verbrannten,
Jupiters Regen löfcht. Äneas, die Weiber und Schwachen des
Volks dort zu laffen geneigt, wird im Traum von Anchifes be-
ftärkt, und in Italien durch Hülfe der Sibylla zur Unterwelt zu
fteigen ermahnt. Nach Erbauung der Stadt Acefta, fchift
Äneas, von Neptunus begünftigt, nach Italien; auf welcher
Fahrt der Steuerer Palinurus im Schlaf verunglückt.

A N E Ï S.

F Ü N F T E R   G E S A N G.

---

er Äneas indefs durchfteuerte mitten die Bahn
        fchon,
  im Entfchlufs, und fchnitt die gedunkelte Flut
        in der Kühlung,
zu den Mauern gewandt, die der unglücksfatten
        Elifsa
ame bereits anftralt. Was folcherlei Brand doch
        entzündet,
et verdeckt; doch der Schmerz, der aus Kränkun-
        gen heftiger Liebe   5
türmt, und der Bewufst, wefs fähig ein rafendes
        Weib fei,
ren der Teukrer Gemüt durch graunhaft drohende
        Ahnung.
Als in die offene See fie bereits auffteurten, und
        nirgends
ges Land noch erfchien, rings Himmel und rings
        nur Gewäffer;
hing über das Haupt ihm ein bläuliches Regen-
        gewölk her,   10

Nacht mitbringend und Sturm, ˚und es fchauerte düfter der Abgrund.

Selbft der Steuerer hoch von dem Hinterverdeck, Palinurus:

Wehe! woher fo dick um den Äther gelagerte Wöl-
kung?

Was doch, Vater Neptunus, bereiteft du? rief er, gebot dann,

15 Einzuziehn das Geräth, und mächtige Ruder zu
fchwingen:

Quer nun dreht' er die Segel dem Wind', und redete
alfo:

Nein, du erhabner Äneas, verbürgt' es auch Jupiters Wort mir,

Nie gen Italia hoft' ich bei folchem Himmel zu kommen.

Seitwärts brauft úmlaufend der Wind, und vom dunkelen Abend

20 Steigt er empor, machtvoll, und Gewölk rings hüllet
die Luft ein.

Auch nicht mehr anringen dem Sturm, noch ftreben
genugfam

Können wir. Doch weil Rettung das Glück noch bietet, gefolgt ihm!

Hin, wo es ruft, fei gewendet der Lauf. Nicht ferne
vermut' ich

Eryx fichere Brudergeftad', und Sikania's Hafen;

25 Fals ich recht mich entfinnend beachtete Sterne zu-
rückmafs.

Drauf Äneas der fromme: Fürwahr, dafs folches
die Winde

Foderten, fah ich vorlängft, und umfonft du, gegen fie
ftrebteft.

Segle die Bahn feitwärts. Ift mir willkommner ein
Land wol,

Oder wo mehr ich verlangte die lechzenden Schiffe
zu bergen,

Als das mir den Aceftes, den Dardanerhelden, bewahret,   30

Und in dem Schoofs einfchliefst den beftatteten Vater
Anchifes?

Jener fprachs; und fie lenken zum Port: mit-
wehender Weftwind

Ründet die Segel mit Hauch; rafch fliegt durch den
Strudel die Flotte;

Und nun landen fie freudig am Kies des bekannten
Geftades.

Fernher fieht von des Berges erhabenem Scheitel
verwundert   35

Nahn die verbündeten Segel, und kommt entgegen
Aceftes,

Rauh von Spiefsen umftarrt, und dem Balg der libyfchen Bärin:

Welchen der Strom Krimifos vordem mit der troifchen Mutter

Zeugete. Diefer, der gern des alten Gefchlechts fich
erinnert,

Heifst fie vergnügt willkommen, und theilt des ländlichen Reichthums   40

Brüderlich mit, und ftärkt durch Freundfchaftshabe
die Müden.

Als am folgenden Morgen die Stern' hinfcheu-
chend im Aufgang

Stralte der Tag; da berief der fämtlichen Freunde
Verfammlung

Rings am Geftad' Äneas, und fprach vom gehügelten
Werder :

45   Dardanus edles Gefchlecht, aus erhabenem Blute
der Götter,

Ganz ift jezo erfüllt voll rollenden Monden der Jahr-
kreis,

Seit wir den heiligen Reft und den Staub des gött-
lichen Vaters

Hier in Erde gefenkt, bei geweiheten Traueral-
tären.

Heut ift, trügt nicht alles, der Tag, der ftets mir ein
herber,

50 Stets ein gefeierter Tag (fo wolltet ihr Götter!) mir
fein wird.

Wenn ich diefen verbannt in gätulifchen Syrten er-
lebte,

Wenn im argolifchen Meere verftürmt, und felbft in
Mycene;

Dennoch ein jähriges Feft mit Gelübd' und feirendem
Aufzug

Würd' ich begehn, und häufen die Brandaltäre mit
Gaben.

55 Jezo von felbft an das Grab und die theuere Afche
des Vaters,

Traun nicht ohne den Rath, wie ich mein', und den
Willen der Götter,

Sind wir gelangt, da verweht in der Freundfchaft
Hafen wir eingehn.

Auf denn, mit Luft uns alle zur feftlichen Ehre ver-
fammelt!

ſt uns um Fahrwind flehn; und dies mein jähriges
  Opfer

lle, wenn blühet die Stadt, er empfahn in geweiheten Tempeln.   60

ne gewährt euch Stiere der troiſche Spröſsling
  Aceſtes

zwei Haupt für die Schiffe. Geſellt die Penaten
  zum Feſtmahl,

e ſowohl, als jene, die ehrt Aceſtes der Gaſtfreund.

rdas, wenn den neunten der menſchenerfreuenden
  Tage

Aurora erhob, und mit Glanz umſtralte den Erdkreis,   65

n' ich zuerſt Kampfpreiſe der hurtigen Flotte den
  Teukrern,

h wer im Laufe der Füſse vermag, und wer, mu-
  tiger Stärke,

ſter im Schwunge des Speers und geflügelter Pfeile
  hinweggeht,

r ſich traut, Fauſtkampf mit rohem Geflecht zu
  beſtehen.

ſr erſchein', abwartend der würdigen Palme Belohnung.   70

t, mit günſtiger Zung', und kränzt mit Laube die
  Schläfen.

  Sprachs, und wand um die Schläfen ſich ſelbſt
    der Zeugerin Myrte.

ſ thut Hélymos; dies, ſchon reif an Alter,
  Aceſtes;

ſ Askanius auch; und es folgt die übrige Jugend.

14*

75 Jezo ging Äneas mit Taufenden aus der Verfamm-
        lung

Hin zu der Gruft, er mitten im Schwarm umdrängen-
        des Volkes,

Dort zween Becher zur Weihe mit lauterem Trank
        des Bacchus

Sprenget er, zween voll Milch, und zween voll heili-
        ges Blutes;

Streut dann purpurne Blumen darauf, und erhebet
        die Worte:

80   Heil dir, hehrer Erzeuger, auch jezt! Heil euch,
        die umfonft ich

Rettete, Staub und Gebein, und Geift und Schatten
        des Vaters!

Nicht war vergönnt, mit dir italifche Fluren des
        Schickfals

Auszufpähn, noch, wo er auch fei, den aufonifchen
        Thybris!

   Jener fprachs; da empor aus dem Heiligthum
        fchlüpfend ein Drache

85 Sieben Kreif' unmäfsig und fieben Umwindungen
        herzog,

Sanft einfchliefsend das Grab, und längs den Altären
        gefchlängelt:

Dem in Bläue der Rücken geftreift, und mit Flecken
        des Goldes

Hell die Schuppe gefprengt rings funkelte: wie im
        Gewölk bunt

Gegen die Sonn' anftralet der taufendfarbige Bo-
        gen.

90 Staunend erblickt' Äneas die Schau. Langrollendes
        Zuges

Jezt die Schalen hindurch und die blinkenden Becher
geschmieget,
Kostete jener den Schmaus; rückwärts unschädlich ge-
wandt dann
Schlüpft' er zum Hügel hinein, und verliefs die um-
nachten Altäre.
Eifriger ordnet er noch die begonnene Ehre dem
Vater,
Zweifelnd, ob Genius jener des Orts, ob Diener des
Vaters   95
Scheinen mög'; und er schlachtet ein Paar rechtaltri-
ger Schafe,
Auch der Säue so viel, und so viel schwarzleibige
Farren;
Und wie er Wein aus Schalen herabgofs, rief er An-
chises
Grofsen Geist, und die Manen, gekehrt aus Acherons
Abgrund.
Auch die Genoffen zugleich, willfährig vom Seinigen
jeder,   100
Bringen Geschenk; sie belasten Altär', und weihen
sich Farren.
Ehernen Zeug stellt mancher umher; und im Grafe
gelagert,
Häufen sie unter den Spiefsen die Glut, und röften
des Fleisches.
Schau, der erwartete Tag stieg auf, und den
neunten der Morgen
Trug in heiterem Lichte das Sonnengespann Hype-
rions.   105
Rings Anwohnende lockte der Ruf und des edlen
Acestes

Name daher; weit füllte der fröhliche Haufen den
     Meerstrand,

Theils die Äneaden zu schaun, theils fertig zum Wett-
     kampf.

Anfangs werden die Preis' im mittleren Raume dem
     Anblick

110 Dargestellt: Dreifüße der Weih', und grünende
     Kränze,

Und siegprangende Palmen, und Waffengeschmeid',
     und in Purpur

Wohl durchkochte Gewand', und des Goldes Talent'
     und des Silbers.

Und zum Beginne des Spiels tönt hell die Trompete
     vom Werder.

Erst nun gehn in den Kampf, sich gleich an ge-
     waltigen Rudern,

115 Vier aus dem ganzen Geschwader mit Fleiß erkoh-
     rene Barken,

Mnestheus führt den im Schwunge der Ruderer stür-
     menden Wallfisch;

Mnestheus, Italer bald, Urahn des memmischen Stam-
     mes.

Gyas zunächst lenkt mächtig den mächtigen Bau der
     Chimära,

Wie ein Kastell; die, von dreifach gereiheter Darda-
     nerjugend

110 Fortgedrängt, sich dreifach geordnete Ruder empor-
     stuft.

Auch Sergesthus, wovon der Sergier Haus sich be-
     namet,

Fährt auf der großen Zentaurin einher; auf der bläu-
     lichen Scylla

t Kloanthus, woher du Römer Cluentius ab-
ftammft.

Fern im offenen Meer ift ein Fels entgegen des
Ufers

äumender Flut, der untergetaucht oft toft in ge-
fchwollnen 125

ndungen, wann rauhwinternd die Stern' einhüllet
der Kaurus:

l in Heitere fchweigt er, und ragt aus geglättetem
Spiegel

Blachfeld, wo gerne fich fonnt ein Gewimmel von
Tauchern.

t ein grünendes Ziel von der Steineich' äftigem
Spröfsling

nzt Äneas der Vater den Schiffenden; dafs fie zurück dort 130

reten, wann fie herum in langem Laufe ge-
fteuert.

lung gewährte das Loos. Jezt hoch auf den Hin-
terverdecken

len die Führer in Gold fernher und prangendem
Purpur:

r mit Pappellaub' umhüllt fich die übrige Jugend,

ig, die Schulter entblöfst, und mit falbendem Öle
befchimmert. 135

s fizt auf die Bänk', und gefrengt find die Arm'
an den Rudern;

s gefrengt erwartet den Wink: in den klopfen-
den Herzen

lt die pochende Angft, und des Ruhms gefpannte
Begierde.

Jezt, da der hellen Trompete Getön klang, ɪɪ̃·
        aus den Grenzen

140 Stürmeten ohne Verzug ſie hervor; laut ſchallt ʒɪ
        dem Äther

Seemannsruf, und es ſchäumt den geſchwungenen
        Armen der Sund auf.

Alle zugleich ʒiehn Furchen; es lechzt aus einander
        die Meerflut,

Rings von dem Ruder zerwühlt, und dem Sturz drei-
        zahniger Schnäbel.

Nicht ſo geflügeltes Laufs in dem Kampf zweiſpänni-
        ger Wagen

145 Raſten den Plan, vorſtürzend aus offenen Schranken,
        die Räder;

So nicht trieben die Lenker, und ſchüttelten wallende
        Riemen

Ihrem beſchleunigten Joch, vorwärts mit der Geißel
        ſich dehnend.

Jezt vom Geklatſch und Brauſen des Volks, und er-
        munterndem Zuruf

Tönet der Wald ringsher; es durchrollt die umhügel-
        ten Ufer

150 Wildes Getöſ', und es prallt von geſchlagenen Höhen
        der Nachhall.

Schleunig entflieht vor den andern, und ſchlüpft
        in die vorderen Wellen

Gyas, umlärmt vom Gewühl Zujauchzender. Nächſt
        ihm Kloanthus

Rauſcht mit beſſerem Ruder daher; doch die Laſt des
        Gebälkes

Hemmt den Lauf. Nach dieſen ſind gleich abſtehend
        der Wallfiſch

die Centaurin entbrannt, den vorderen Ort zu
gewinnen.   155

l ift der Wallfifch vorn, bald geht die erhabne
Centaurin

ıig vorbei, bald fliegen zugleich mit gefelleten
Stirnen.

le durch falzige Fuhrten, die lang nachfurchenden
Kiele.

l fchon naheten jene dem Fels und dem Ziele der
Meerbahn;

, der Allen voraus durch die Flut fiegprangete,
Gyas   160

mit der Stimm' anmahnet den Schifspiloten Menötes:

Du, wo fo weit rechtsab mir entfchlüpft? Dort
fteure den Lauf hin!

be den Strand; und am linken Geftein lafs fchar-
ren die Ruder!

ı' ein andrer die See! — Er fprachs; doch fcheute
Menötes

ıdes Geklipp, und lenkte zum wogenden Meere
das Vorfchif.   165

ıhin beugft du die Fahrt? Hier lenk' an die Felfen, Menötes!

ıf noch lauter ihn Gyas zurück. Und o! den Kloanthus

ıauet er, welcher im Rücken verfolgt', und näher
fich anhielt.

ıifchen des Gyas Barke gedrängt und die raufchen-
den Felfen,

eift er die innere Bahn linksum, und den Vorderen plözlich   170

Fliegt er vorbei, und gewinnt nach verlaſſenem Ziel
die Meerflut.

Aber dem Jüngling' entbrannt' unermeſslicher
Schmerz im Gebeine,

Selbſt nicht blieb unbethränt ihm die Wang'; und den
Säumer Menötes,

Eigene Würde ſowohl wie das Heil der Genoſſen ver-
geſſend,

175 Stürmt er hinab in das Meer vom erhabenen Hinter-
verdecke.

Selbſt dann füllt er den Raum als Steuerer, ſelbſt als
Gebieter,

Mahnet die Ruderer an, und drehet das Heft zu dem
Felsrand.

Doch wie beſchwert kaum endlich dem Abgrund wieder enttauchte,

Ältlich bereits, und durchnäſst im triefenden Kleide,
Menötes,

180 Klomm er den Felſen empor, und ſaſs auf trockener
Zacke.

Ihn den Enttaumelnden ſahn, und den Schwimmen-
den lachend die Teukrer,

Lachend ſehn ſie ihn dort ausſpein die verſchlungene
Salzflut.

Freudiger hoften nunmehr die äuſserſten beide
der Kämpfer,

Mneſtheus, du mit Sergeſtus, des zaudernden Gyas
Beſiegung.

185 Raum nun ſchaft ſich Sergeſtus zuerſt, und nahet dem
Felſen;

Doch nicht dehnt er mit ganz voreilendem Borde den
Raum aus;

ils ist er vorn, theils dränget mit eiferndem Schna-
bel der Wallfisch.

r mitten im Schif einher durch die Seinigen wan-
delnd,

met sie Mnestheus an: Nun, nun schwingt alle
die Ruder,

ektorische Freund', aus Troja's endendem Schick-
sal   190

zu Genossen erwählt! Nun zeigt einwohnende
Kräfte,

;et den Mut, mit dem ihr gätulische Syrten be-
standet,

! das ïonische Meer, und die tummelnden Wogen
Maléa's!

it mehr streb' ich voran, nicht um Sieg wetteifer'
ich Mnestheus!

ir o! — Doch es gewinne, wem das, Neptunus,
du gönntest!   195

; wir zulezt úmkehren, sei Schmach! Das wendet,
o Bürger,

ndet das Gräuel durch Sieg! — Jen' all' in der
höchsten Beeifrung

nen sich vor; dumpf bebet der eherne Bord von
den Stöfsen;

en entzieht sich die Flut; schnellathmendes Keu-
chen erschüttert

der und trockene Kehl', und Schweifs wie in
Bächen umströmt sie.   200

Selber der Zufall bot die ersehnete Ehre den
Männern.

ın da mit rasendem Mut zu dem Fels anzwänget
das Vorschif,

Drinnen im Kreiſ', und zur Enge des Raums ein
  gehet Sergeſtus,
Haftet der Elende feſt an der ſcharf vorſpringenden
  Felsbank.
205 Mächtig dröhnt das Geſtein, und die angeſtemmeten
  Ruder
Krachen am zackigen Horn, und es hängt das pral-
  ,lende Vorſchiſ.
Auf fährt ſämtlich die Schaar, und laut aufſchreiend
  verweilt man;
Stangen mit Eiſenbeſchlag und vorgeſpizete Schal-
  ter
Langt man hervor, und ſammelt zerſchmetterte Ruder
  im Strudel.
210 Mneſtheus fröhlich indeſs, und feuriger durch das
  Gelingen,
Fort von der Ruderer Menge geſchnellt, und geruſe-
  nem Winde,
Eilt in die Räume des Meers, und läuft durch offene
  Wallung.
Wie aus Felſengeklüft die aufgeſchüchterte
  Taube,
Die im gelöcherten Bims Obdach und trauliches
  Neſt hat,
215 Schwingt in die Felder den Flug, und mit klatſchen-
  dem Schlage der Flügel
Bange der Wohnung entrauſcht; bald, ruhige Lüfte
  durchgleitend,
Lautere Bahn hinſtreift, und im Schwung kaum reget
  den Fittig:
So ſchieſst Mneſtheus, ſo in die äuſserſten Fluten der
  Wallfiſch,

rafcheres Laufs, ſo trägt die entfliegende Barke der
Schwung ſelbſt.

men verläſst er zuerſt am hohen Geſtein, den Sergeſtus, 220

auf ſeichtragender Bank, wie, herab ſich ringend, umſonſt er

Hülfe ruft, und lernt mit gebrochenem Ruder zu
laufen.

Bald den Gyas und ſelbſt den mächtigen Bau der
Chimära

Holet er ein; aus weicht ſie, beraubt des lenkenden
Meiſters.

Noch iſt übrig allein an des Meerlaufs Ende
Kloanthus, 225

Den er verfolgt, und mit höchſter Gewalt arbeitend
hinanringt.

Jezo erneut ſich lautes Geſchrei; den Verfolgenden
reizen

Alle mit günſtigem Ruf; es ertönt von Jubel der
Äther.

Die ſind, eigene Zier und Verdienſtglanz nicht zu
behaupten,

Unmutsvoll; und es gilt, mit dem Leben ſich Ruhm
zu erhandeln. 230

Die dort ſchwellt der Erfolg; man kann, weil zu
können man ſcheinet.

Beide vielleicht erſtrebten den Preis mit geſelleten
Schnäbeln,

Wenn nicht jezo, die Hände zum Meer ausſtreckend,
Kloanthus

Bitten ergoſs, und die Götter mit Flehn zu Gelübden
daherrief:

235   Waltende Götter der Flut, und, die ich dur
        laufe, der Meerbahn,

Euch will hier am Geſtad' ich den ſchimmernden Sti
        vor den Altar

Fröhlich weihn, der Gewährung zum Dank; und d
        Innre des Lebens

Opfr' ich in ſalzige Wogen, und gieſs' euch lauter
        Weine!

Jener ſprachs; und die Stimme. vernahm tief un
        ter der Meerflut

240 Nereus Chor und des Phorkus, zugleich Panopéa di
        Jungfrau.

Selbſt mit gewaltiger Hand verlieh Portunus der
        Vater

Schwung den Gehenden; raſch, wie der Süd und det
        Pfeil von der Senne,

Flog zu dem Lande die Bark', und ſchlüpft' in die
        Tiefe des Hafens.

Aber der Sohn des Anchiſes beruft, wie Ge-
        brauch, die Verſammlung;

245 Dann erkläret er laut mit des Herolds Ruf den Klo-
        anthus

Als Obſieger, und kränzt ihm das Haupt mit grünen-
        dem Lorber.

Auch zum Geſchenk für die Schiffe je drei der Stiere
        zu wählen

Giebt er, und Weine dazu, und ein groſses Talent
        auch an Silber.

Doch den Führenden ſelbſt vorragende Ehren ver-
        leiht er.

250 Ihm, der geſiegt, ein Gewand, ein golddurchſtraltes,
        das ringsum

t meliböiſcher Purpur umläuft in dopplem Mä-
ander.

ewirkt iſt der Knabe des Königes, wie er in
Ida's

lungen flüchtige Hirſche mit Lauf abmüdet und
Wurfſpiefs,

ig, dem Athmenden gleich, den raſch vom Ida
zum Himmel

mit kralligen Klaun Zeus Waffenträger ge-
raubet;   255

zur den Sternen erheben die Händ' hochaltrige
Hüter,

umſonſt, und es wütet der Hund' Anbellen zur
Luft auf.

ı wer zunächſt durch Tugend den anderen Ort
ſich verdienet;

n geringelten Panzer, aus Drillichsmaſchen des
Goldes

gefügt, den er ſelbſt vormals dem Demóleos ab-
zog,   260

md vor Ilions Höhn an des reiſenden Simoïs
Ufern,

nkt er zu eigen dem Mann, als Zierd' und Schuz
in der Feldſchlacht.

n nut trugen die Diener das reichgeflochtene
Kunſtwerk,

eus, die Schulter geſtemmt, und Ságaris; aber
gehüllt drein

ı Demóleos oft wildtummelnde Troer im
Laufe.   265

f als drittes Geſchenk zwei eherne Becken verehrt er,

Silberne Schalen dazu, kahnförmige, rauhes Ge-
    bildes.

    Alle fie jezo begabt, und ftolz der reichen Be-
    lohnung,

Gingen, die Schläf' umwunden mit Laub' und pur-
    purnen Bändern;

270 Als, von dem fchrecklichen Fels mit Müh' abkommend
    und Arbeit,

Halb der Ruder beraubt, und an einem Borde ge-
    lähmet,

Seinen verfpotteten Kiel ruhmlos Sergeftus daher-
    trieb.

Wie auf gepflaftertem Weg' oftmals die ereilete
    Schlange,

Welche das eherne Rad quer malmete, oder des
    Wandrers

275 Kräftiger Schlag halbtodt auf dem Stein und verftüm-
    melt zurückliefs;

Wie fie umfonft langaus, zu entfliehn, mit dem Leibe
    fich windet,

Trozig am Theil, und Flammen im Blick, und bäu-
    mend den hochauf

Zifchenden Hals; doch ein Theil, von der Wunde
    gelähmt, fie zurückhält,

Weil voll Knoten fie ringt, und in eigene Glieder fich
    einfchmiegt:

280 Alfo zog fich das Schif langfam mit verftümmelten
    Rudern;

Segel fpannts, und gewinnt mit fchwellendem Segel
    die Mündung.

Auch den Sergeftus befchenkt mit verheifsener Gab'
    Äneas,

Froh des geretteten Schifs und der wiederkehrenden
   Freunde.

Ihm wird ein Mädchen verliehn, nicht roh in den
   Künften Minerva's,

Pholoë, thracifcher Art, mit Zwillingsföhnen am
   Bufen.   285

 Als Äneas der Held dies Spiel vollendete,
   ftrebt er

Zum weichgrafigen Plan, den rings mit gebogenen
   Hügeln

Waldungen hielten umhegt; und mitten im Thal des
   Theaters

War ein Bezirk, wohin famt Taufenden jezo der
   Heros

Wandelte, und in der Mitte der fteigenden Bänke fich
   fezte.   290

Hier, wer etwa verlang' in ftürmifchem Laufe zu
   kämpfen,

Jeglichem lockt er durch Preife das Herz, und ftellet
   Belohnung.

Rings verfammeln fich Teukrer umher, und ver-
   mifchte Sikanen.

Nifus vor allen zuerft und Euryalus.

Er, Euryalus ragt' an Geftalt und blühender Jugend,   295

Nifus an Liebe des Knaben und Zärtlichkeit. Dann
   auch erfchienft du,

Königsfohn Diores, von Priamus edlem Gefchlechte.

Salius dann und Pátron: ein Akarnanier diefer,

Jener aus Arkaderblute des tegeäifchen Volkes.

300 Hélymus dann, und Pánopes dann, Trinakrier
beide,

Jünglinge, kundig der Forft', im Geleit des bejahrten Aceftes.

Und viel andere noch, die dunkele Sage ver-
hüllet.

Diefen anjezt in der Mitte begann zu reden
Äneas:

Merkt euch alle mein Wort, und vernehmt mit
freudiger Seele.

305 Keiner der fämtlichen Zahl foll ohne Gefchenk mir
hinweggehn.

Gnofifcher Spiefs' ein Paar, lichthell von geglättetem
Stahle,

Werd' ich mit doppelter Axt aus gemeifseltem Silber
verehren.

Dies fei allen gemein. Doch drei Obfieger empfahn
noch

Preif', und umwinden das Haupt mit bläfslichem
Schmucke des Ölbaums.

310 Wer der erfte gewinnt, dem lohn' ein ftattliches
Prachtrofs.

Aber der andere nehme den amazonifchen Köcher,

Voll von Thrakergefchofs, den ein Gurt breitftralen-
des Goldes

Rings umflicht, und die Schnalle von länglichem
Edelgeftein hält.

Möge der dritte vergnügt des argolifchen Helmes hinweggehn.

Alſo der Held; ſie nehmen den Stand, und
    ſchnell, wie das Zeichen   315

ıete, fliegen ſie all' iń die Räum', und verlaſſen
    den Ausgang,

ch wie die Wetter geſtürzt, und zugleich ſchaun
    alle das Endziel.

he da ſchlüpfet zuerſt, weithin vor · den übrigen
    Kämpfern,

us voran, der dem Wind' und geflügelten Strale
    zuvoreilt.

ſem zunächſt, doch näher in langausreichendem
    Abſtand,   320

wingt ſich Salius fort; und darauf abbeugend vom
    Umlauf,

gt Euryalus raſch . . .

ymus ſtürmt dem Euryalus. nach; doch hinter ihm
    ſelber

get, o ſchau! und reibt mit der Ferſ' ihm die
    Ferſe Diores,

en die Schulter gelehnt; und war mehr übrig des
    Umlaufs,   325

ınſ' er, wo nicht ihm voraus, bis zu ſtreitiger
    Schwebe der Gleichheit.

Jezo beinah zu dem Ende der Bahn, und dem
    äuſerſten Umlauf,

nen ſie kraftlos an; da der unglückſelige
    Niſus

ıtet im ſchlüpfrigen Blut, das dort von geſchlach-
    teten Rindern

geſtrömt das Gefild' und die grünenden Kräuter
    gefeuchtet.   330

15*

Hier, frohlockender Sieger bereits, hielt wankend der
        Jüngling

Nicht den gestrauchelten Tritt auf dem Grund'; er
        enttaumelte vorwärts

Grad' in den Unrath nieder von Dung' und heiligem
        Blute.

Nicht des Euryalus jezt, und nicht der Liebe ver-
        gafs er;

335 Gegen den Salius stellt' er den Leib, aus dem Wuste
        sich hebend;

Rückwärts rollete jener, und lag in dem mulmigen
        Sande.

Aber Euryalus eilt, und, den Sieg dem Freunde ver-
        dankend,

Zuckt er hervor, und entfliegt im Geklatsch und Ju-
        bel des Beifalls.

Bald naht Hélymus, bald der Gepalmeten dritter,
        Diores.

340 Doch zu der mächtigen Bänke Versammlungen, und
        zu der Väter

Vorderem Size gewandt, ruft Salius lautes Geschrei
        aus,

Und er verlangt sie zurück, die mit Trug ihm ent-
        wendete Ehre.

Doch den Euryalus schüzet die Gunst, und die rei-
        zende Thräne,

Und anmutiger rührt bei lieblicher Schöne die Tu-
        gend.

345 Auch vertheidigt und ruft mit lauter Stimme
        Diores,

Welcher zum Sieg' eintrat, und umsonst an die lezte
        Belohnung

Kam, wenn die erfte der Ehren dem Salius jezo gereicht ward.

Drauf der Vater Äneas: Euch, Jünglinge, bleiben gefichert

Eure Gefchenk', und keiner verrückt aus der Ordnung die Palme.

Mir fei vergönnt zu gedenken des fchuldlos leidenden
Freundes.   350

Sprachs, und dem Salius reicht' er die Haut des
gätulifchen Löwen,

Ungeheur, von Zotten befchwert und goldenen
Klauen.

Nifus begann: Wenn folche Belohnungen ftehn
für Befiegte,

Und dich Gefallener daurt; was Würdiges reichft du
dem Nifus

Nun zum Gefchenk? der den erften der Kränz' ich
verdienete redlich,   355

Wenn mich, wie Salius, nicht ein feindliches Schickfal hinwegrifs!

Riefs, und zeigte zugleich fein Antliz, und die
entftellten

Glieder in feuchtendem Dung. Drob lächelte freundlich der Vater.

Bringen heifst er den Schild, die edele Kunft Didy-
máons,

Den einft Grajer gehängt an die heilige Pfofte Neptunus;   360

Diefes erhabne Gefchenk verehrt er dem treflichen
Jüngling.

Drauf, da geendiget ruhte der Lauf, und die
Gabe vertheilt war:

Jezt, wem Kraft beiwohnt, und ein fertiger Mut in
   dem Herzen,

Komm', und erhebe die Arme mit ftarkumwundenen
   Fäuften!

365 Sprach er, und ftellte dem Kampfe gedoppelte Ehren-
   belohnung:

Einen Stier dem Sieger, mit Gold und Binden um-
   fchleiert;

Schwert und Helm, vorftralend an Pracht, zum Troft
   dem Befiegten.

 Ohne Verzug nun trägt mit gewaltiger Stärke
   fein Antliz

Dares hervor, und hebt fich, umtönt von der Männer
   Gemurmel:

370 Er, der allein mit Paris die Kraft anftrengte zum
   Wettkampf;

Er, der auch einft am Hügel, wo ruht der erhabene
   Hektor,

Den fiegprangenden Butes mit ungeheueren Gliedern,

Der vom Bebrykerftamme des Amykos kommend ein-
   hertrat,

Niederfchlug, und für todt ausftreckt' im gelblichen
   Sande.

375 So von Geftalt hebt Dares den Kampf zu beginnen
   das Haupt auf,

Zeigt breitfchultrige Fülle des Rumpfs, und in Wech-
   felbewegung

Schwingt er die Arm' ausftreckend, und fchlägt mit
   Streichen die Lüfte.

Ihm wird ein andrer gefucht; doch auch nicht einer
   der Heerfchaar

Vagt zu ſtehen dem Mann, und die Fauſt mit Geflecht zu umwinden.

ſutig demnach, und wähnend, daſs all' ihm räumten
die Palme, 380

rat vor Äneas Füſs' er einher; dann ohne Verwei-
lung

ält mit der Linken den Stier er am Horne gefaſst,
und beginnt ſo:

Sohn der Göttin, wenn keiner beherzt in die
Fehde ſich waget;

ann ſoll enden mein Stehn? bis wohin mich zu
halten geziemt es?

eiſs mich führen den Lohn! — Und es murmelte
dumpf die geſamte 385

ardanerſchaar, und ermahnte, dem Mann zu gewähren den Siegspreis.

Ernſthaft jezt den Entellus beſtraft mit Worten
Aceſtes,

elcher zunächſt ihm ſaſs auf grünendem Polſter des
Raſens:

O Entellus, umſonſt der Tapferſte einſt der Heroen,

afs ohn' einigen Kampf ſo herliche Gabe geraubt
ſei, 390

uldeſt du zahm? Wo bleibet uns nun, den du eitel
als Lehrer

ngabſt, Eryx der Gott? wo der Ruf, der Trinakria
ringsum

illt, und ſo viel Siegsbeute, die dir in den Wohnungen hänget?

Jener ſofort: Nicht Liebe des Ruhms, noch der
Ehre Gefühl wich

395 Zagender Furcht; doch fiehe, von fäumendem Alter
         gekältet,

Starret das Blut, fteif find dem ermatteten Leibe die
         Nerven.

Wenn, wie fie vormals war, wenn fo, wie der Freve-
         ler dort fich

Brüftet in trozigem Mut, noch jezt mir blühte die
         Jugend;

Traun, nicht erft von dem Lohne bewegt, und den
         ftattlichen Farren,

400 Käm' ich daher! nicht acht' ich Gefchenk! — Da er
         alfo geredet,

Flugs der gedoppelten Gurt' unmäfsige Laft in die
         Mitte

Warf er, mit welchem zum Kampf oftmals der weid-
         liche Eryx

Hub die Fäuft', einhüllend den Arm in gehärtete Stier-
         haut.

     Allen erftaunte das Herz: fo ftarreten mächtige
         Rücken

405 Sieben gewaltiger Stiere, mit Blei und Eifen durch-
         knotet.

Mehr noch ftaunt felbft Dares fie an, der ferne zu-
         rückftuzt.

Aber es wäget die Laft der anchifiadifche He-
         ros,

Hin und her des Geflechts unermefsliche Windungen
         drehend.

Jezo hub aus der Bruft der Ältliche folcherlei Aus-
         ruf:

410   Was, wenn einer die Gurte des Herkules felbft
         und die Rüftung

gefehn, und wie ernft grad' hier am Geftade
  der Kampf war!
Rüftzeug pflag Eryx vordem, dein Bruder, zu
  tragen.
find Spuren des Blutes zu fchaun, und zer-
  fchmettertes Hirnes.
fchwang jener mit Macht auf Herkules; felber
  auch führt' ichs,
och frifcheres Blut mich kräftigte, und um die
  Schläfen   415
  nicht grauendes Haar mir geftreut misgünftiges
    Alter.
  wenn folches Gewehrs der troifche Dares fich
    weigert,
es Äneas befchleufst, und Aceftes verlangt, der
  mich antrieb;
l, gleich werde der Kampf! Dir entlaff' ich die
  Häute des Eryx;
me die Furcht! dú lege das troifche Riemen-
  geflecht ab.   420
Alfo fprach er, und warf das Doppelgewand von
  den Schultern,
tiger Glieder Gelenk', und mächtige Knochen
  und Muskeln
t' er hervor, und ftand wie ein Rief' in der Mitte
  des Sandes.
der Held, von Anchifes gezeugt, trug gleiches
  Geriem her,
mit ähnlichen Waffen umwickelt' er beiden die
  Hände.   425
Rafch auf die Zehen geftellt, fo drohen fie gegen einander,

Beide die Arm' unverzagt zu den oberen Lüften
 hebend;

Ferne zurück ziehn beide das ragende Haupt vor d
 Schlage,

Zwacken fich, Händ' einmifchend in Händ', und e
 flammen den Zweikampf.

430 Der ift leichter an Füfsen gewandt, und trozig i
 Jugend:

Stark ift diefer an Bau und Gewicht; doch dem 1
 ternden läffig

Wanket das Knie, fchwerkeichend erbebt der gew
 tige Leib ihm.

Viel nun fchwingen umfonft der wechfelnden Streu
 die Männer;

Viel in gehöhlete Seiten verdoppeln fie; viel auf e
 Brüfte

435 Donnern fie laut; auch Ohren umher und Schläl
 umirret

Häufig die Fauft, und es klirren von fchmetternde
 Schlage die Backen.

Laftvoll fteht Entellus, und feft in geftemmeter Ri
 tung

Meidet er nur mit dem Leibe den Schwung, und r
 wachfamen Augen.

Jener, wie wer aufkämpfet mit thürmenden Werl
 zur Feftung,

440 Oder des Berges Kaftell einfchliefst in belagern
 Waffen,

So nun hier, nun dort umirret er jeglichen Z
 gang

Spähend mit Kunft, und drängt vielfach in vereit
 tem Anfaz.

da ſtreckt anſteigend die Recht' Entellus, und
    hochauf
er ſie; ſchleunig zuvor ſchaut jener den hoch
    von der Scheitel
ienden Schlag, und behende den Leib abdre-
    hend entſchlüpft er.   445
in den Wind verſchüttet die Kraft Entellus,
    und ſelber,
r wie er war, ſchwerfällig mit mächtiger Laſt
    auf den Boden
lt er: wie wenn gehöhlt hintaumelte, auf Ery-
    manthus
auf Ida's Höhn, die dem Grund' entwurzelte
    Fichte.
; fahren vom Siz die Dardaner und die Sika-
    nen;   450
ſ ſchallt in die Luft; und zuerſt kommt laufend
    Aceſtes,
mitleidig erhebt er den Freund und Genoſſen
    des Alters.
iemmt iſt der Held und unerſchrocken vom Zu-
    fall;
er kehrt er zum Kampf, und reget die Kraft
    mit Erbittrung;
Scham auch empöret das Herz, und ſich füh-
    lende Tugend.   455
durch die Ebene treibt er entbrannt den ge-
    tummelten Dares,
mit der Rechten die Schläg', und bald mit der
    Linken verdoppelnd;
ndwo Raſt noch Verzug: wie häufigen Hagel
    ein Schauer

Stürzt auf das knatternde Dach, mit fo dichtfch,
　　　ternden Streichen

460 Wechfelt die Hände der Held; und fchlägt und
　　　folget den Dares.

　　Doch der Vater Äneas, den Lauf abbrech
　　　des Zornes,

Liefs nicht wüten hinfort mit erbittertem Mut
　　　Entellus;

Ziel nun fezt er dem Kampf, und den abgemati
　　　Dares

Rettet er, fanft zuredend dem Mann, und alfo
　　　ginnt er:

465 　Unglückfeliger du, wie übernahm dich
　　　Wahnfinn!

Merkft nicht andere Kräfte du jezt, und gewand
　　　Gottheit?

Weiche dem Gott! — So rief er, und trennete rufe
　　　den Zweikampf.

　Treu nahn jenem die Freund', und wie, ka
　　　hinfchleppend die Kniee,

Rechts und links er neiget das Haupt, und aus k
　　　chendem Munde

470 Klumpiges Blut auswirft, und mit Blut gemeng
　　　Zähne,

Führen zur Flotte fie ihn; auch Helm und Schw
　　　die gerufnen,

Nehmen fie mit, dem Entellus die Palm' und d
　　　Farren verlaffend.

Jener, erhoben vom Sieg, und ftolz des erob
　　　ten Stieres:

Sohn der Göttin, und ihr, dies merket euch, rief
　　　o Teukrer,

erlei Kräft' auch mir in des Jünglinges Leibe
> gewohnet,   475

aus welcherlei Tod' ihr zurückgeraffet den
> Dares!

prachs, und trat vor die Stirne des zugewende-
> ten Farren,

ur Gabe dem Kampf daftand: aushohlend mit
> Macht nun

ng die umhäutete Fauft er hinab in die Mitte
> der Hörner,

bäumt, und zerknirfchte mit berftendem Hirne
> den Schädel.   480

s fällt, und zuckend zur Erd' hin tummelt der
> Stier dumpf.

ihm dann ruft alfo mit lauter Stimme der Sie-
> ger:

für des Dares Tod die beffere Seele bezahl'
> ich,

dir; und Sieger entfag' ich der Kunft und dem
> Armgurt!

'chnell nun ruft Äneas, mit hurtigem Pfeile zu
> kämpfen,   485

heran, wer etwa begehr', und ftellet Beloh-
> nung.

mit gewaltiger Hand den Maft von dem Schiffe
> Sereftus

t er, und in der Schlinge des Seils die geflü-
> gelte Taube

er, ein Ziel dem Gefchofs, an die oberfte Spize
> des Maftes.

er kamen daher; die eingeworfenen Loofe   490

Faßt der eherne Helm; und zuerst mit gewogene
     Zuruf

Springt dein Loos aus der Kuppel, Hippókoon, Hy
     takus Spröfsling.

Mnestheus folget zunächst, der jüngst im Kampfe de
     Barken

Hatte gesiegt, Mnestheus, mit grünendem Kranze d
     Ölbaums.

495 Dann Eurytion auch, dir, o Ruhmvoller, ein Bru
     der,

Pandaros! der du vordem, auf Geheifs zu verwirre
     das Bündnis,

Unter die Grajer zuerst ein Gefchofs abfchnellteft vo
     Bogen.

Aber der äufserste blieb am Grund des Helme
     Acestes,

Selbft auch kühn mit der Hand zu verfuchen der
     Jünglinge Arbeit.

500   Alle fie krümmen nunmehr kraftvoll die ge-
     fchmeidigen Bogen,

Was ein Mann nur vermag, und langen Gefchofs aus
     den Köchern.

Siehe zuerft durch den Himmel entfchwirrt von der
     tönenden Senne

Hyrtakus Sohne der Pfeil, und im Flug zerfchlägt er
     die Lüfte,

Kommt und bohrt fich hinein in die Vorderfeite des
     Maftbaums.

505 Ganz erbebte der Baum, dafs der Vogel gefchreckt
     mit den Flügeln

Flatterte, und vom Geklatfch, dem unendlichen, alles
     ertönte.

g ſtand Mneſtheus, und, ſtraf anziehend den
    Bogen,

er empor, und zugleich hielt Augen und Pfeil
    er geſtrenget.

ihn ſelbſt, o der Arme! mit Stahl abreichen, den
    Vogel,

t' er nicht; nur die Knoten der leinenen Bande
    zerbrach er,   510

ait verhaftetem Fuſs hoch ſchwebte die Taub' an
    dem Maſtbaum;

in die Wind' auffſteigend, zu dunkelen Wolken
    entflog ſie.

von Begier nun eilet Eurytion, welcher geſpannt
    ſchon

auf dem Bogen den Pfeil, und er ruft mit Ge-
    lübden dem Bruder;

wie am freieren Himmel ſie froh mit klatſchen-
    den Flügeln   515

rte, zielt er und trift hoch unter der ſchattigen
    Wolke.

os rollt ſie herab, und verhaucht in den Sternen
    des Äthers

ch den Geiſt, und bringt den gehefteten Pfeil
    mit herunter.

Jezt nach der Palme Verluſt war allein noch
    übrig Aceſtes:

las Geſchoſs gleichwohl zu den wehenden Lüf-
    ten emporſchwang,   520

er zeigte, der Vater, die Kunſt und den tönen-
    den Bogen.

, da beut ſich den Augen ein plözliches Wunder,
    zu groſser

Vorbedeutung beſtimmt; bald lehrt' es ein furchtba
Ausgang,

Und zu ſpät weiſſagten die unglückdrohend
Seher.

525 Denn wie es flog, entbrannte das Rohr in geklärt
Wolken,

Und es bezeichnete flammend die Bahn, und w
loderte mählich

Aufgelöſt in die Winde: wie oft am Himmel a
heftet

Fliegende Stern' hinlaufen, und hell nachziehen d
Haarſchweif.

Tief erſtaunten im Geiſt, und flehten den obei
Göttern

530 Dardaner und Sikanen zugleich; auch Äneas der H
nicht

Wies das Zeichen zurück; er umſchlang den frol
Aceſtes,

Überhäuft' ihn mit groſsem Geſchenk, und red
ſolches:

Vater, empfah; denn es ordnet der herſchei
Gott des Olympus,

Durch dies Wundergeſicht, daſs du kampflos E
gewinneſt.

535 Nim ſein Ehrengeſchenk, des hochbetagten /
chiſes:

Dieſen Krug, von Bildern umſtarrt, den der Thrac
Ciſſeus

Einſt zu herlichem Ehrengeſchenk dem Vater An(
ſes

Mitzunehmen verlieh, als Pfand und Gedächtnis (
Freundſchaft.

Sprach', und umwand ihm die Schläfe mit grü-
             nendem Laube des Lorbers;
d als Sieger begrüßt er vor allen zuerst den
             Acestes.   540
cht auch Eurytion, edel an Sinn, mißgönnte den
             Vorzug,
er allein doch die Taube den himmlischen Höhen
             entstürzet.
nem zunächst dann geht an Geschenk, der die
             Schlinge gebrochen;
er zulezt, der den Mast mit geflügeltem Rohre
             durchbohret.
    Doch der Vater Äneas, bevor er entlaßen das
             Kampfspiel,   545
ft den Geleiter und Rath des erblühenden Knaben
         :   Iulus,
ytus Sohn, und vertraut dem Ohre des Redlichen
             solches:
    Geh, dem Askanius sage, wenn schon er bereitet
             die Schaar hat
eler Knaben um sich, und den Lauf der Roße ge-
             ordnet,
hr' er dem Ahn die Geschwader, und zeige sich
             selbst in der Rüstung.   550
    Sprachs, und er selber entfernt weithen aus dem
             Raum des Bezirkes
les ergoßene Volk, und gebeut, daß offenes Feld
             sei:
    Auf ziehn jezo die Knaben, und gleich vor den
             Augen der Eltern
ihm auf gezäumeten Roßen sie her; und den Wan-
             delnden staunet

555 Rings der Trinakrierfchaar und der troifchen Jugend
        Gemurmel.

Allen drückt nach der Weife das Haar ein gefchon-
        ner Helmkranz;

Zween kornellene Spiefse, mit Stahl vorblinkend,
        trägt man;

Dort ift die Schulter vom Köcher umglänzt; und am
        oberen Bufen

Schwebet, den Hals umwindend, ein Reif des gedre-
        heten Goldes.

560 Drei der Reitergefchwader an Zahl, drei mutige
        Führer

Traben einher; zwölf Knaben, die jeglichem folgen
        in Ordnung,

Gehn in gefondertem Zug glanzvoll, und mit glei-
        chen Erziehern.

Eine prangende Schaar der Jünglinge führet der
        kleine

Priamus, vom Grofsvater benamt, dein Sprofs, o Po-
        lites,

565 Fortzufproffen beftimmt in Italia: den ein' ge-
        fcheckter

Thraciergaul herträgt, mit fchimmernden Flecken ge-
        zeichnet,

Weifs am vorderen Tritt, und weifs aufbäumend die
        Stirne.

Atys zunächft, der die Folge der latifchen Atier an-
        hebt,

Atys der klein', als Knabe geliebt vom Knaben
        Iulus.

570 Aber zulezt ragt herlich an Reiz vor Allen
        Iulus,

n fidonifchen Roffe geführt, das die glänzende
Dido

zum Pfand' und Gedächtnis der herzlichen Liebe
gefchenket.

ft auf trinakrifchen Roffen des altenden Helden
Aceftes

et der Trupp . . .

fchend empfahn die Verfchämten, und freun fich
die Dardaner ringsum   575

uend den Zug, und erkennen die Bildungen alter Erzeuger.

Als fie die fizenden Männer nunmehr, und der
Ihrigen Anblick

lich vorübergefchwebt; jezt gab den Fertigen
rufend

tus Sohn ein Zeichen von fern, und es hallte die
Geifsel.

zerftreun fich in gleicher Geftalt, und löfen den
Heerzug   580

fach all' in Chöre gereiht; auf erneueten Zu-
ruf

den fie wieder den Schwung, und fprengen mit
feindlicher Wehr an.

eren Lauf beginnen fie nun, und anderen Rück-
lauf,

fig entgegen gefchwenkt, und wechfelnde Kreife
mit Kreifen

m fie herum, und ftellen das Bild der gewafne-
ten Feldfchlacht.   585

in Flucht find die Rücken geblöfst; bald wenden fie feindlich

16*

Spizige Wehr; bald wieder vereiniget, schweben fa
friedfam.

So wie das Kunftlabyrinth vormals in der feligen
Kreta

Blinder Gewölb' Ausfchweif', und taufendfache Ver-
wicklung

590 Tappender Weg' úmdrehte zum Truɡ, wo Zeichen
des Fortgehns

Eitelte unmerkbarer und unrückgängiger Ir-
thum:

Nicht mit anderem Laufe verwirrt die teukrifche Jugend

Häufig die Spur; und fie tummeln in Flucht und
fpielendem Angrif:

Wie wenn ein Schwarm Delfine das Meer durch-
fchwimmet, und fpaltend

595 Bald karpathifche Flut, bald libyfche, fpielt in der
Wallung.

Diefen Gebrauch, dies Rennen des Kampfs hat
Askanius weiland,

Als er zuerft ummaurte die langgereihete
Alba,

Eingeführt, und zu feiren gelehrt uralte Latiner,

So wie er felbft als Knabe zuvor mit der troifchen
Jugend.

600 Alba lehrte die Söhne hinfort; von welchen die
grofse

Roma empfahn und behauptet die angeerbete
Ehre:

Noch find Troja die Knaben genannt, noch troifcher
Aufzug.

So weit daurten die Kämpfe, gefeirt dem gött-
lichen Vater.

von neuem erfchien die gewandelte Treue des
Glückes.

l am Grab das Gedächtnis mit mancherlei Spielen
geehrt ward;   605

lte dich, Iris, vom Himmel herab die faturnifche
Juno

dardanifchen Flott', und der gehenden Hauchte
fie Wind nach,

mifch im Geift, noch immer des altenden Grolls
ungefättigt.

befchleunigt den Weg durch den taufendfarbigen Bogen,   610

iem gefehn, und enteilet im flüchtigen Pfade, die
Jungfräu.   610

nun fchaut fie der Menge Gewühl; und das Ufer
umfpähend,

t fie öde den Hafen umher, und die Flotte verlaffen.

h fernab wehklagen, am einfamen Strande gô-
fondert,

fche Fraun um Anchifes Verluft; und zur Tiefe
des Meeres

un fich gefamt wehklagend. Dafs folch ein Gewäffer den Müden,   615

fo viel noch drohe des Meers! weint alles ge-
meinfam;

t und Heerd ift der Wunfch, fie verdreufst müh-
felige Meerfahrt.

en demnach in die Schaar, und nicht unkundig
des Schadens,

Schwinget fie fich, ablegeud Geftalt und Kleidung der
 Göttin.

620 Beroë wird fie, die Greifin, vermählt dem Cikonern
 Doryklus,

Die an Gefchlecht und Namen vordem und an Söhnen hervorfchien.

So nun trit fie hinein in die Schaar dardanifcher
 Mütter:

 Elende, ruft fie, die nicht achajifche Macht in
 dem Kriege

Fort zum Tode geraft vor Ilions heimifchen
 Mauern!

625 Armes Gefchlecht, zu welchem Verderbniffe fpart dich
 das Schickfal?

Schon der fiebente Sommer verrollt nach Troja's Zerftörung,

Seit wir in Meer' und Lande verirrt ungaftliche
 Felfen

Und feindfelige Stern' ausftehn; da durch grofse Gewäffer

Wir der Italia folgen, die flieht, und in Wogen uns
 tummeln!

630 Hier des Eryx Bruderbezirk, und Aceftes der Gaftfreund.

Was denn verbeut, hier Mauren und Stadt zu grün-
 den den Bürgern?

Heimat ach, und dem Feind' umfonft entrifsne Penaten!

Niemals nennt man hinfort trojanifche Wohnungen?
 nirgends

Werd' ich hektorifche Ströme, den Simois, fchauen,
 und Xanthus?

und verbrennet mit mir die unheiltragenden
Barken! 635

Mir erschien im Traume das Bild der Profetin
Kaffandra,

auflodernde Brände mir bot. Hier fuchet euch
Troja!

ist, fagte fie, Wohnung für euch! — Stracks führet die That aus;

ist Varzug dem Wundergeficht. Seht, vier der
Altäre

dem Neptunus; er felbft reicht Flammen und
Mut, der Gebieter! 640

Sprachs, und zuerft mit Gewalt entrafte fie feindliches Feuer,

mit erhobener Hand fernher das funkelnde wirbelnd,

udert fie. Ängftlich gefpannt find rings und be-
troffen die Herzen

er Fraun. Doch eine der Schaar, ehrwürdig an
Alter,

, die fo viel Söhne dem Könige Priamus auf-
zog; 645

Nicht ift Beroë dies, nicht jene Rhöteerin, Mütter,

, des Doryklus Weib. Die Zeichen unfterblicher
Anmut,

die entflammeten Augen bemerkt: wie erhaben
der Geift ihr,

he Geberd' und Stimme des Munds, wie der
Gehenden Wandel.

. nur eben verliefs ich die Beroë, als ich hin-
wegging, 650

Krank und unmutsvoll, daſs allein ſie, ſolcher Vate
ehrung

Theillos, nicht dem Anchiſes die ſchuldigen Pflich
bezahlte.

Alſo ſprach ſie . . .

Doch die Mütter, zuerſt unſtät, und widriges Auges,

655 Schauten die Flott' unſchlüſsig, getheilt von der hei
gen Sehnſucht

Gegenwärtiger Land', und des Reichs, das mit Göti
geſchick rief:

Als ſich zum Himmel erhob gleichſchwebendes Flu-
ges die Göttin,

Und auf gewaltigem Bogen dahineilt unter den Wolken.

Jezt wie vom Donner gerührt bei der Schau, und ge-
trieben von Wahnſinn,

660 Schreien ſie all', und entraffen den häuslichen Heerden die Feuer;

Manche beraubt die Altär'; und Laub und Reiſig und
Brände

Werfen ſie ein. Wild raſt in entzügeltem Laufe Vulkanus

Bänk' und Ruder hindurch, und gemahlte Tannen-
kaſtelle.

Schnell zu Anchiſes Grab' und dem hochgeſtuf-
ten Theater

665 Trägt der entzündeten Flotte Bericht Eumelus; ſie
ſelbſt auch

Schauen, wie ſchwarz in Gewölk Flockaſch' aufwirbelt mit Funken.

Askanius rafch, wie er fröhlich den Lauf der
Gefchwader

sts, fo mit dem Rofs enteilet er zu dem ver-
wirrten

r; ihn hemmet umfonft nacheichender Ruf der
Erzieher.

Was für befremdende Wut? o wohin num trach-
tet ihr, ruft er,   670

e Genoffinnen dort? Nicht Feind' und argivifche
Lager,

k ja die eigene Hofnung verbrennet ihr! Sehet,
ich bin ja

Askanius! — Rufts, und fchleudert den Helm
vor die Füfse,

ther das Haupt ihm gedeckt in dem Spiel des
gefahnlichten Krieges.

ad auch fliegt Äneas heran, und die Schaaren der
Troer.   675

Aber zerftreut in der Angft nach jeglicher Seite
des Ufers,

hen die Fraun; und in Büfchen, und wo nur ein
hohles Geklüft ift,

en fie Schuz. Es verdreufst fie der That und des
Lichtes; verändert

nen fie wieder ihr Volk; und der Bruft ward
Juno entfchüttelt.

h nicht dárum rafet der hell auflodernden Flammen   680

ezwingbare Macht; tief unter dem feuchten Gehölz lebt,

gfamen Schmauch aufqualmend, das Werg; zäh
glimmender Brodem

Naget den Raum, und zum Kiele hinab zehrt
      Verwesung.
Nichts taugt Heldengewalt, nichts schaft einstr
      Sündflut.
685 Siehe der fromme Äneas, das Kleid von der S
      sich reifsend,
Ruft um Erbarmen die Götter daher, und strec
      Händ' aus:
    O allmächtiger Zeus, find noch nicht a
      hafst dir
Troja's Söhn', und schaut, wie zuvor, auf men
      Trübfal
Dein mitleidiges Herz; lafs fliehn aus dem
      die Flotte
690 Nun, und entreifs, o Vater, was teukrifch noch
      der Vernichtung!
Oder den winzigen Reft, mit feindlichem I
      verdient' ichs,
Send' ihn dem Tod'; hier schmettre dein eigen
      ihn zum Abgrund!
Kaum war alles gefagt, da in plazendem
      ein Wetter
Schwarz mit unendlicher Wut hertobt, und vor
      ner erzittern
695 Höhen der Erd' und Thäler hinab; rings ftü
      dem Äther
Stürmifcher Regen von Flut und heftigem Si
      dunkelt.
Überfchwemmt ftehn fchon die Verdeck', und e
      um gefengte
Planken der Gufs; bis gelöfcht war der Bran
      völlig, und völlig

fchwanden dahin) vom Verderb die Schiffe
gerettet.

der Vater Äneas, durchbebt von dem herben Verhängnis, 700

bald hierhin, und bald unberuhiget dorthin,

kümmerten Geift: ob Sikulerfluren er an-
baun

rgeffend das Loos, ob fort in Italia wandern.

autes der Greis, defs Herz die tritonifche
Pallas

ehrt, und erleuchtet mit höherem Lichte
der Kenntnis; 705

ihrt' Antworten, fowohl was zürnende Götter

als was felber die Ordnungen heifchten des
Schickfals.

tröftenden Worten begann alfo zu
Äneas:

cher, wo das Gefchick hinruft und zurück,
ihm gefolget!

ch fei, zu beftehn ift jegliches Loos durch
Erduldung! 710

n Dardaner haft du, den Götterfprófsling
Aceftes.

ereinige dir als willigen Rathesgenof-
fen;

rtraue das Volk der verlorenen Barken,
und wer fonft

r Arbeit ift und deines erhabenen Zie-
les;

715 Auch hochaltrige Greif' und des Meers verdn
　　　　　Mütter,

　　Und was alles um dich kraftlos und fcheu de
　　　　　fahr ift,

　　Wähl', und lafs die Matten im Land' hier Wo
　　　　　gen haben.

　　Diefe benennen die Stadt mit vergönnetem N
　　　　　Acefta.

　　　Als er von folcherlei Rede des älteren Fre
　　　　　entflammt war,

720 Jezo wankt ihm das Herz in vielfach theilende
　　　　　gen.

　　Aber die dunkele Nacht durchfuhr zweifpänni;
　　　　　Himmel.

　　Plözlich fchien aus den Lüften herabzufchwebe
　　　　　Bildnis,

　　Gleich dem Vater Anchifes, das fo mit Worte
　　　　　anfprach:

　　" Sohn, du mehr denn das Leben, fo lan;
　　　　　Leben geathmet,

725 Stets mir geliebt! o Sohn, den Ilions Schickfal
　　　　　hertreibt!

　　Zeus der allmächtige fendet mich her, der den !
　　　　　fen das Feuer

　　Abgewandt, und fich endlich aus himmlifchen H
　　　　　erbarmt hat.

　　Folge dem heilfamen Rathe, den jezt der greil
　　　　　Nautes

　　Anräth: Jünglinge nur, die tapferften Herzen
　　　　　Volkes,

730 Führ' in Italia hin. Ein Gefchlecht, rauhfittig
　　　　　wildernd,

du zwängen mit Kampf in Latium. Aber zu
 Pluto's

ungen steig' erst unter die Erd', und Avernus-
 geklüft durch

> dich mir zu gefellen, o Sohn. Nicht hält mich
 . des frevelin

us grauliche Nacht; in Elyfiums feligen Fluren

!' ich mit Frommen vereint. Dorthin von der
 reinen Sibylla 735

ı viel strömendes Blut schwarzwolliger Schafe
 geführet,

du dein. ganzes Geschlecht und die Stadt der
 Verheifsung erkennen.

nun wohl. Schon kreifet die Nacht um die
 Mitte des Laufes,

md der graufame Morgen mit fchnaubendem
 Sonnengefpann haucht.

Diefes gefagt, schnell floh er, wie Rauch, in die
 wehenden Lüfte. 740

n stürzeft du doch? was eileft du? rief ihm
 Äneas:

ven flieheft du? oder wer hemmt dich von meiner Umarmung?

fprach er, und weckte die Afch' und das fchlum-
 mernde Feuer;

den pergamifchen Lar, und den Schrein der
 grauenden Vesta,

er mit heiligem Schrot andächtig und dampfen-
 der Pfanne. 745

Stracks die Genoffen nunmehr und zuerft den
 Aceftes beruft er;

Jupiters hohen Befehl und das Wort des theu
Vaters

Trägt er vor, und welcher Entſchluſs nun der S
genehm ſei.

Nicht iſt dem Rathe Verzug, noch weigert Aceſtes
Auftrag.

750 Und man ertheilet die Mütter der Stadt, und das
lige Völklein

Sezen ſie ab, nicht Herzen, nach edlerem Ruhme
langend.

Selbſt erneun ſie die Bänk', und verkohlete Bal
der Schiffe

Werden ergänzt, und Ruder gefügt, und Taue
beſſert:

Wenige ſind ſie an Zahl, doch zu Krieg' aufſtrebe
Tugend.

755 Aber Äneas indeſs umgrenzt mit dem Pfluge
Stadtraum,

Theilt die Häuſer durch Loos, und gebeut, daſs I
hier ſei,

Troja hier. Es freut ſich des Reichs der Troj
Aceſtes,

Ordnet den Markt, und beſtimmt ihr Recht den
kohrenen Vätern.

Dann wird nach den Geſtirnen auf Eryx Scheitel
Wohnſiz

760 Aufgeſtellt für Venus Idalia. Aber ein P
ſter

Pflegt des heiligen Hains um das anchiſeïſche G
mal.

Schon neun Tage durchſchmauſte das ſämtli
Volk, und Altären

pfte Gefchenk; da bahnten gefällige Lüfte die
          Meerflut,

frifchwehende Hauche des Südwinds lockten die
          Segel.

entftieg dem krummen Geftad' ein unendliches
          Jammern.   765

umarmen einander, und weilen die Nacht und
          den Tag durch.

t die Mütter nunmehr, fie felbft auch, denen fo
          rauh jüngft

hte des Meeres Geftalt, fo unerträglich der
          Name,

ten zu gehn, und zu dulden die Flucht und
          jegliche Mühfal.

ndlich ermahnt fie mit Troft der gütige Vater
          Äneas,   770

er empfiehlt fie mit Thränen dem Blutsverwand-
          ten Aceftes.

Stierkälber dem Eryx, ein Lamm den Stürmen
          zu opfern,

t er Befehl, und zu löfen vom Strand nach der
          Reihe das Hemmfeil.

r das Haupt mit dem Laube gekrönt des ge-
          fchorenen Ölzweigs,

in dem Vorfchif hält er die Schal'; und das
          Innre des Lebens   775

t er in falzige Wogen, und giefst des lauteren
          Weines.

ender Wind vom Steuer verfolgt die rüftige
          Meerfahrt.

erhebt um die Wette den Schlag, und durch-
          ftäubt die Gewäffer.

Aber Venus indeſs, von empörenden Sorgen
ängſtigt,

760 Wendet das Wort zu Neptunus, und bricht in
cherlei Klag' aus:

Juno's heftiger Zorn und unausſühnbarer
ſer

Nöthiget mich, Neptunus, zu jeglicher Bitte der
mut;

Die nicht daurende Friſt, nicht einige Frömmig
mildert;

Die kein Schluſs des Geſchicks úmlenkt, noch J
ters Obmacht!

785 Nicht ja genug, daſs ſie mitten aus phrygiſchem V
die Stadt weg

Sengte mit gräſslichem Haſs, und fort durch jegl
Marter

Schleifte den Reſt; auch dem Staub und Gebein
ermordeten Troja

Lechzet ſie nach! Urſachen des raſenden Grolles,
weiſs Sie!

Neulich warſt du ſelber mir Zeug' in den libyſc
Waſſern,

790 Welchen Tumult ſie plözlich erhub. Meerwogen
Himmel

Miſchte ſie, blindes Vertraun des Äolus Stürmen
während,

So in deinem Gebiet tollkühn! . . .

Siehe, zu Frevel ſogar die troiſchen Mütter be
rend,

Hat ſie die Schiff' (o entſezlich!) verbrannt,
durch Mangel der Flotte

zu verlaſſen die Freund' im Fremdlingslande,
       genöthigt!   .   795

ig bleibt mir zu flehn: gönn' ihm durch deine
       Gewäſſer

re Bahn, gönn' ihm zum laurentiſchen Thybris
       die Einfahrt;

erſtattet der Wunſch, und verleihn dort Mauern.
       die Parcen!

Drauf antwortete dies der ſaturniſche Herſcher
       des Meergrunds:

ſ und recht, Cytherea, daſs meinem Gebiet du
       vertraueſt,   800

du ſelber entſtammſt. Auch verdien' ich es: oft
       ja gebändigt

ich ſo grimmige Wut und das Toben des Meers
       und des Himmels.

nicht minder zu'Lande, wie Simois zeuget und
       Xanthus,

ich für deinen Äneas geſorgt. Da verfolgend
       Achilles

's entathmete Schwärm' anſchmetterte gegen die
       Mauern,   805

viel Tauſende ſtreckte dem Tod', und die Ströme
       gefüllet

ſeten, daſs nicht finden den Weg noch erzwin-
       gen den Ausgang

hus konnte zum Meer: damals hab' ich den
       Äneas,

mit Achilles ſich maſs, ungleich an Kräften und
       Göttern,

in der Wolke geraft; da ſo gern ich zerrüttet
       von Grund aus,   810

Was ich gebaut, die Mauern der meineidfchwörenden
     Troja.

Jezt auch gleiche Gefinnung befteht mir. Hemme die
     Unruhn.

Sicher foll, wie du wünfcheft, er gehn in die Bucht
     des Avernus.

Einen Verlorenen nur in der ftrudelnden Woge ver-
     mifst er;

815 Vielen gereicht ein Haupt zur Entfündigung . . .

     Als fo redend der Göttin die fröhliche Bruft er
         gefänftigt;

Schirret an Gold der Erzeuger die Rofs', und fügt
     den empörten

Schaumig Gebifs, und den Händen entfchüttet er alle
     die Zügel.

Leicht in dem bläulichen Wagen durchflieget er oben
     die Meerflut.

820 Nieder finkt das Gewog', und unter der donnernden
         Axe

Ebnet fich fchwellende Flut; es entfliehn durch den
     Äther die Wolken.

Jezo erfcheint vielfaches Geleit; Scheufale des Ab-
     grunds,

Glaukus im altenden Chor, und der Inoide Palä-
     mon,

Auch der Tritonen Gewühl, und des Phorkus fämt-
     liche Heerfchaar;

825 Thetis und Mélite links, und die Meerjungfrau Pa-
         nopéa,

Auch Nefäa, und Speio, Cymodoce auch, und Tha-
     lia.

Doch dem Vater Äneas durchftrebt nach Bekümmernis endlich

neichelnde Luft von neuem das Herz.   Rafch
heifset er alle

en umher aufrichten, und Rahn ausftrecken mit
Segeln.

zugleich. fahn wechfelnd die Luft: gleich löfen
fie links hin,   830

htshin dann von dem Borde den Baufch; gleich
fchweben die Hörner

gedreht und zurück; es entraufcht vor dem Winde
die Flotte.

nan fteurt vor allen und lenkt Palinurus der
Segel

iten Schwarm; ihm folgen, den Lauf nachlenkend,
die andern.

zum mittleren Ziel war die thauige Nacht an
dem Himmel   835

gelangt; es entfpannt' in behaglicher Ruhe die
Glieder,

am Ruder geftreckt, auf harten Bänken der See-
mann:

fanftgleitendes Ganges der Schlaf von den Sternen des Äthers

ch die gedunkelte Luft anfchritt, und die Finfter-
nis trennte,

Palinurus, zu nahn, und dir, Unfchuldiger, brin-
gend   840

ume des Wehs; hoch fafs er, der Gott, auf dem
Steuerverdecke,

rbas gleich an Geftalt, und fprach mit der Stimme
des Phorbas:

17 *

.Iafus Sohn Palinurus, das Meer trägt felber
    Flotte,
Und gleich athmet der Wind; nun beut fich
    Stündchen zum Ausruhn.
845 Lege das Haupt, und entzeuch die ermüdeten Au
    der Arbeit.
Ich will felbft ein wenig für dich abwarten des
    tes.
   Kaum aufhebend den Blick, antwortete d
    Palinurus:
Mich zu verkennen ermahnft du des Meers falfcl
    chelndes Antliz,
Und die geheuchelte Ruh? mich, ihm zu glau
    dem Scheufal?
850 Soll ich Äneas vertraun (was ift trugvoller?)
    Wind', ihn
Launiger Luft, da fo oft mich tückifche Heitre
    teufcht hat?
   Alfo fprach Palinurus, und, feft an das St
    fich fchmiegend,
Liefs er durchaus nicht los, und fchauete fteif
    der Sternbahn.
Siehe der Gott mit dem Zweige, vom Thau der
    the gefeuchtet
855 Und einfchläfernden Kräften der Styx, umfchü
    ihm beide
Dünnungen; und bald fchwimmet des Sträuber
    Aug' in Betäubung.
Kaum erft hatte die Ruh unverfehns ihm die Gli
    gelöfet;
Jezt machtvoll andrängend, mit berftendem Theil
    Kaftelles,

it dem Steuer zugleich, warf jener in wallende
    Flut ihn

ngs hinab, der die Freund' oftmals anrufte
    vergebens.   860

ann hub er den Gang in geflügeltem Schwung
    zu den Lüften.

rt auf der Meerbahn läuft nicht weniger ficher
    die Flotte,

m Vater Neptunus begünftiget, eilet fie furcht-
    los.

m fuhr fie dem Felfengeklüft der Sirenen ge-
    nahet,

gefahrvoll einft, und weifs von vielem Gebein
    war.   865

t fchollen umher von beftürmendem Salze die
    Klippen;

Held hinwanken das Schif nach verlorenem
    Meifter

ah, und er felber es lenkt' in nächtlicher Wal-
    lung,

tsvoll, und erfchüttert im Geift von des Freun-
    des Verhängnis.

zu dreift du dem Himmel und heiterem Meere
    vertrauteft,   870

l liegft du hinfort am Fremdlingsftrand, Pali-
    nurus!

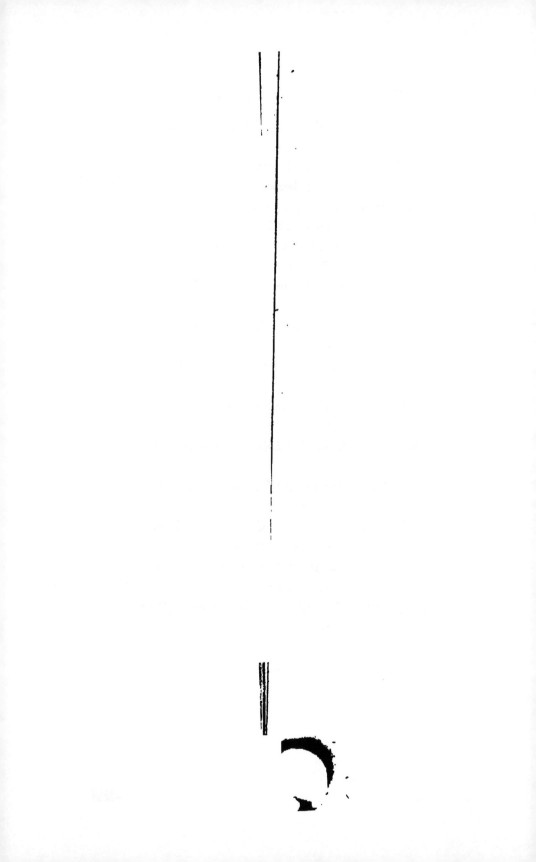

Ä N E Ï S.

E C H S T E R   G E S A N G.

INHALT.

Ä N E Ï S.

E C H S T E R G E S A N G.

---

ruft er mit Thränen, und giebt der Flotte die
Zügel;
zum euböifchen Strande von Kumä gleitet er
endlich.
värts drehn fie die Schnäbel der Schiff', und
mit faffendem Zahne
der Anker den Grund; am Geftad' hin ftehn die
gewölbten
rverdecke gereiht; und die Jünglinge fchwingen
entflammt fich 5
m hesperifchen Strand. Theils fuchen fie Samen
des Feuers,
m Kiefelgeäder verfteckt; theils raffen fie Waldung,
Gewölbe des Wilds; und gefundene Strömun-
gen zeigt man.
der fromme Äneas befucht des erhabnen
Apollo
e Höhn, und ferne der fchauderhaften Sibylla 10

Ungeheuere Kluft: der höheren Geift und Em
  dung

Delos Gott einhaucht, der Profet, und öfnet die
  kunft.

Schon in der Trivia Hain und die goldenen Woh
  gen gehn fie.

Dädalus, wie man erzählt, da er floh aus
  Reiche des Minos,

15 Kühn auf hurtigen Schwingen fich anzuvertrauen
  Himmel,

Schwamm in der feltfamen Fahrt zu den frof
  Bärinnen aufwärts;

Über der chalcifchen Burg ftand endlich der fc]
  bende Künftler:

Wo er, zuerft umkehrend zum Grund, dir, Phe
  der Luftfahrt

Rudernde Flügel geweiht, und erbaut den gewalt
  Tempel.

20 Hier auf der Pfort' Andrógeos Tod; und die Bü
  des Cekrops,

Duldend die traurige Straf', als jährigen Zins zu
  richten

Sieben gelofete Söhn'; auch fteht die Urne der
  hung.

Dort entgegen erhebt fich im Meer das gnofifche
  land:

Wo die gräfsliche Liebe des Stiers, und Paf
  heimlich

25 Zugeführt, und das Zwittergefchlecht, und der c
  pelte Spröfsling

Minotaurus erfcheint, ein Denkmal fchmählicher B
  fchaft.

ıs gekünſtelte Haus, und der unauswirrbare
        Irrgang;

ſah mit Erbarmen die liebende Königestoch-
        ter,

, und ſelbſt löſt' er den windenden Trug des
        Verſchloſſes,

Gewirr ſein Faden enträzelte. Theil an dem
        Kunſtwerk,   30

hätteſt auch du, nicht wenigen, gönnte der
        Schmerz ihn!

l wagte der Vater in Gold zu bilden den Un-
        fall;

l ſank dem Vater die Hand. — Ja das Wei-
        tere alles

ihr wandernder Blick, wenn nicht der ent-
        ſandte Achates

und Deïfobe mit, der Trivia und des
        Apollo'   35

ın, Tochter des Glaukus; die alſo ſprach zu
        dem König:

cht iſt dieſes die Zeit, die ſolche Betrachtun-
        gen fodern.

ben der Farren aus unbelaſteter Heerde

dem Altare zu weihn, und ſo viel rechtaltri-
        ger Schafe.

ſo gebot dem Äneas die Prieſterin; ſchnell
        von den Männern   40

s vollbracht; und ſie ruft in den ragenden
        Tempel die Teukrer.

ıun iſt zur Höhle das Herz des euböiſchen
        Felſens:

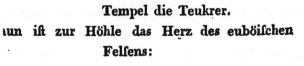

Hundert geräumige Gäng' und Mündungen leiten
Innern;

Hundertfach durchrollt fie Getön, weiffagt die
bylla.

45 Jezt war die Mündung erreicht, da die Jung
Fodert das Schickfal!

Rufte; der Gott! o fchauet, der Gott! Wie fie fc
am Eingang

Redete; plözlich erfchien nicht vorige Farbe,
Antliz,

Nicht in geordneten Locken das Haar: nein,
chend der Bufen,

Heftig in Wut auffchwellend das Herz, auch l
das Anfehn,

50 Und nicht fterblich der Ton; als num fie des r
tigen Anhauchs

Füllte der nähere Gott. Du fäumft, mit Gelübde
flehen?

Rief fie, o Troer Äneas, du fäumft? Nicht eh
öfnet

Weit fich der fchaudernden Wohnung Geklüft!
fie folches geredet,

Blieb fie verftummt; und kalt durch Mark und
beine den Troern

55 Bebte das Graun; jezt fleht' aus innerftem Herzer
König:

Phöbus, du ftets ein Erbarmer der fchwer
duldenden Troja,

Der du dem Paris die Händ' und die Dardane
fen gelenket

Äakus Sohn' in den Leib! fo viel um gewa
Länder

le Meere durchfuhr ich dir Leitenden, ja fo
   entfernt auch
 Maffyliervolk, und von Syrten umlagerte Fluren.   60
ı gewinnen wir nun Italia's 'fliehende
   Ufer.
ɔis hieher uns das troifche Schickfal gefolgt
   fein!
ːh, jezo geziemts, o fchont des pergamifchen
   Volkes,
und Göttinnen alle, die Ilions Gröfse gekränkt
   hat,
lardania's Ruhm. Und du, o hehre Profetin,   65
ı kommender Ding', o gieb, (nicht Reiche
   verlang' ich,
ːin Loos mir verfagt,) dafs in Latium wohnen
   die Teukrer,
mirrende Götter, und flüchtige Mächte von
   Troja!
marmornen Tempel der Trivia und dem
   Apollo
ch hinfort, und Fefte, genannt vom Namen
   des Phöbus.   70
auch harrt ein Ehrengemach in unferem
   Reiche:
, Erhabne, die Loof', und wie viel des gehei-
   meren Schickfals
ı Volk du gefagt, hinleg', und erkohrene
   Männer
. Nur nicht Blättern vertraue du deine Verkündung.

75 Dafs nicht, Winden ein Raub, fie verwirrt durd
　　　　　ander zerfliegen;

Töne mir, fleh' ich, du felbft! — So hemmt' (
　　　　　Rede des Mundes.

　　Aber von Phöbus Gewalt ungebeugt noch,
　　　　　die Profetin

Ungeftüm in der Höhl', ob etwa der Bruft fi
　　　　　fchütteln

Könne den mächtigen Gott: um fo heftiger ze
　　　　　des Mundes

80 Rafen, und zähmt der Empörten das Herz, ur
　　　　　Bändiger zwängt er.

Schnell find geöfnet die hundert gewaltigen (
　　　　　der Wohnung,

Alle von felbft, und tragen zur Luft der Seherin
　　　　　wort:

　　O der du endlich des Meers graunvolle Gef
　　　　　erfchöpft haft!

Doch graunvollere drohet das Land! In die (
　　　　　Lavinums

85 Kommt der Dardaner Volk; lafs fahren die Sor;
　　　　　dem Herzen;

Doch nicht wünfcht es gekommen zu fein! K
　　　　　ängftende Kriege

Schau' ich, und weit geröthet mit Blut auffchäi
　　　　　den Thybris.

Nicht wird Xanthus und Simois dir, noch ein
　　　　　fches Lager

Fehlen; bereit ift fchon auch im latifchen Land
　　　　　Achilles,

90 Sohn der Göttin auch er. Nie weicht, auffäzig
　　　　　Teukrern,

hinweg: wann du, demütig in harter Bedräng-
        nis,
velch Italervolk, · was nicht anfleheſt für
        Städte!
des Leids iſt wieder ein Weib, Gaſtfreundin
        der Troer,
'rts wieder ein Ehegemach . . .

nachgeben dem Leid, nein noch kühnherziger
        angehn,   95
ur Bahn dein Loos dir vergönnt! Des Heiles
        Beginn wird,
u am wenigſten träumſt, von der Danaer Stadt ·
        ſich eröfnen.
Jlſo ruft aus dem hehren Geklüft die Seherin
        Kuma's,
raunvolles Getöns Umſchweif, und brüllt aus
        der Höhlung
Laut' in Dunkel gewirrt: ſo ſchüttelt des
        Wahnſinns   100
mit Macht, ſo dreht in die Bruſt ihr den Sta-
        chel Apollo!
wie vertobte die Wut, und der raſende Mund
        ſich beruhigt;
)egann Äneas der Held: Von keinerlei Drang-
        ſal,
au, ſteigt die Geſtalt mir neu auf, noch uner- .
        wartet.
erwog ich zuvor, und wandt' im Herzen den
        Vorſaz.   105
nur fleh' ich: da hier des unteren Königes
        Pforte

Preiſet der Ruf, und das dunkle Geſümpf au
         rons Aufſturz;

Sei, dem Blicke zu nahn und dem Munde des
         ren Vaters,

Jezo vergönnt; du führ', und öfne den heiliger
         gang.

110 Jenen hab' ich durch Flammen und tauſend
         gende Waffen

Selbſt auf der Schulter entraft, und hervor au
         Feinde gerettet;

Jener, mir ſtets des Weges Genoſs, hat all
         wäſſer,

Alle die Schrecken mit mir, von dem Meer und
         Himmel, erduldet,

Er, der Schwächliche, über das Loos und die]
         des Alters.

115 Ja, daſs demutsvoll ich dir fleht', und deiner B
         ſung

Nahete, hat er mich bittend ermahnt. O des
         und des Vaters,

Edle, erbarme dich jezt! du vermagſt ja alles;
         ſonſt nicht

Gab auch Hekate dir die averniſchen Haine zu
         hut.

Wenn zu entrufen vermochte den Geiſt der Ve
         leten Orſeus,

120 Kühn durch der thraciſchen Laute Gewalt und
         diſche Saiten;

Wenn vom wechſelnden Tode den Bruder er
         Pollux,

Und oft geht und kehret den Weg: was gedenl
         des Theſeus?

ler herkulifchen Kraft? Auch mir ift erhabener
        Ahn Zeus!
Als mit folcherlei Worten er fleht', und den
        hohen Altar hielt;
begann zu reden die Seherin: Göttergefchlecht
        du,   125
, anchififcher Sprofa, leicht geht es hinab zum
        Avernus;
s ift offen und Tags die Pforte des dunkelen
        Pluto.
úmwenden den Schritt, und zu oberen Lüften
        hinaufgehn,
t Arbeit und Müh'. Nur Lieblinge, welche fich
        auskohr
r, oder verklärt auffchwang zu dem Äther die
        Tugend,   130
ten es, Göttern entfprofst. Rings Waldungen
        fperren den Zugang,
mit düfterer Bucht der umgleitende Strom des
        Kocytus.
ι wenn folch ein Verlangen dem Geift, wenn
        folche Begier ift,
mal zu fchwimmen auf ftygifchen Seen, und des
        Tartarus Dunkel
mal zu fchaun; wenn Freude dir fchaft unfin-
        nige Kühnheit: 135
, was Noth ift zuvor. In dumpfiger Dichte des
        Baumes
st mit goldener Windung ein Zweig und gol-
        denen Blättern,
ten der fchrecklichen Juno geheiliget. Diefen
        bedeckt rings

Wildernder Hain, ihn fchliefsen in dämmernde
ten die Thäler.

140 Doch nicht eher gelingts in der Erd' Abgrün
fteigen,

Als bis einer des Baums goldlaubigen Schöfslın
abbrach.

Diefen verlangt die fchöne Proferpina, als ihr e
nes

Ehrengefchenk.   Ift der erfte getrennt, nicht
ein andrer

Goldener, und es belaubt fich ein ähnlicher
des Metalles.

145 Forfche denn tief mit den Augen umher, und
den gefundnen

Wohl mit der Hand.   Denn er felbft wird leic
folgen und willig,

Wenn dich das Schickfal ruft: wenn nicht,
keine Gewalt ihn

Bändigen, noch dein Arm mit gehärtetem Stal
erfchüttern.

Überdas auch liegt dir des Freundes entfeeleter]
nam,

150 (Ach noch weifst du es nicht!) der die fä
Flotte verunreint;

Während du Rath hier forfcheft, und unferer Sc
fo anhängft.

Diefen beftatte zuvor, und gieb ihm ein ruhiges
mal.

Dann zur Entfündigung erft fchwarzwollige S
geführet.

Jezo die ftygifchen Hain', und wohin kein Leb
wandelt,

zu fchaun.   Sie .fprachs; und gefchloffenes
    Mundes verftummt fie. '155
Aber Äneas, den Blick voll Schwermut nieder-
    geheftet,
lelt ernft von der Höhle zurück, den verborge-
    nen Ausgang
und her úmwendend im Geift.   Sein treuer
    Achates
ihm gefellt, und bewegt voll ähnlicher Sorgen
    den Fufstritt.
ıch redeten beid' im Wechfelgefpräch mit ein-
    ander: 160
ıen entfeeleten Freund die Seherin, weffen Be-
    ftattung,
ige.   Aber nunmehr den Mifenus am trockenen
    Ufer
.en die Kommenden dort vom kläglichen Tode
    getilget,
 Sohn Mifenus, dem nie ein anderer vor-
    ging,
.er zu regen mit Erz, und Streit mit Getön zu
    entflammen.   165
ırn war er Genofs, dem erhabenen; Hektor be-
    gleitend,
er die Kriegsdrommet' und die kriegrifche Lanz'
    in der Feldfchlacht.
als jenen des Geiftes beraubt der Sieger Achil-
    les,
 der tapfere Held fich dem Dardanerfürften
    Äneas
fügt ein Genofs, nicht fchlechteren Theil fich
    erwählend.   170

Nun, da er einft durchhallte die Flut mit gehöhleter
    Mufchel,

Thörichter! und mit Getön die Unfterblichen ruft
    zum Wettftreit;

Hatt' ihn der eifernde Triton belaurt (wenn glaub-
    lich die Sag' ift)

Unter Geklipp, und den Mann in die fchäumende
    Woge getauchet.

175   Alle demnach ringsher wehklageten laut um den
    Leichnam;

Doch der fromme Äneas zumeift.   Der Sibylla Ge-
    bot nun,

Ohne Verzug, vollziehn fie bethränt; und des Bran-
    des Altar wird

Hurtig aus Bäumen erbaut, und empor in den Him-
    mel geleitet.

Siehe man geht in ein altes Gehölz, Berglager des
    Wildes;

180 Kiefern krachen im Sturz; es erfchallt von den Äxten
    die Steineich';

Auch fchlankfteigender Efchen Gebälk und klüftiges
    Stammholz

Spaltet der Keil; man entrollt unmäfsige Ornen der
    Berghöhn.

Selbft auch fchaltet Äneas voran in des Werkes Voll-
    endung,

Rings anmahneud die Freund', und mit ähnlichen
    Waffen gerüftet.

185 Und nun wälzet er diefes bei fich im traurigen
    Herzen,

Schauend die Waldeinöd' endlos, und ruft im Gebet
    aus:

Venn doch jezo ſich uns der goldene Zweig
 an dem Baume
e, hier in ſo groſsem Gehölz! da alles nach
 Wahrheit,
u ſehr! Miſenus, von dir die Profetin gemeldet.
aum dies hatt' er geſagt, da ein Paar leicht-
 fliegender Tauben   190
vor des Mannes Geſicht am heiteren Himmel
 daherkam,
uf die grünende Flur abſank. Es erkannte der
 Mutter
ohrene Vögel der Held, und betete freudig:
eitet mich ſhr, iſt etwa ein Weg, und einher
 durch die Lüfte
in die Haine den Lauf, wo reich dem trieb-
 ſamen Boden   195
t der Sproſs. Und du, o verlaſs nicht, göttliche Mutter,
n der Noth! — So rief er empor, und hemmte
 den Fuſstritt,
rkſam, was zeichne der Flug, wie verfolge die
 Richtung;
zum Weiden geſenkt, entflatterten ferner und
 ferner,
s ſie konnt' abreichen der Folgenden ſchärferes
 Hinſchaun.   200
la ſie kamen zum Schlund' und ſtrengen Ge-
 dünſt des Avernus,
ſie raſch ſich empor, und die lauteren Lüfte
 durchgleitend,

Nun, da er einst durchhallte die Flut mit gehöhleter
Muschel,

Thörichter! und mit Getön die Unsterblichen rufte
zum Wettstreit;

Hatt' ihn der eifernde Triton belaurt (wenn glaublich die Sag' ist)

Unter Geklipp, und den Mann in die schäumende
Woge getauchet.

175   Alle demnach ringsher wehklageten laut um den
Leichnam;

.Doch der fromme Äneas zumeist.   Der Sibylla Gebot nun,

Ohne Verzug, vollziehn sie bethränt; und des Brandes Altar wird

Hurtig aus Bäumen erbaut, und empor in den Himmel geleitet.

Siehe man geht in ein altes Gehölz, Berglager des
Wildes;

180 Kiefern krachen im Sturz; es erschallt von den Äxten
die Steineich';

Auch schlanksteigender Eschen Gebälk und klüftiges
Stammholz

Spaltet der Keil; man entrollt unmäfsige Ornen den
Berghöhn.

Selbst auch schaltet Äneas voran in des Werkes Vollendung,

Rings anmahneud die Freund', und mit ähnlichen
Waffen gerüstet.

185 Und nun 'wälzet er dieses bei sich im traurigen
Herzen,

Schauend die Waldeinöd' endlos, und ruft im Gebet
aus:

Venn doch jezo sich uns der goldene Zweig
　　　an dem Baume

:, hier in so grosem Gehölz! da alles nach
　　　Wahrheit,

ı sehr! Misenus, von dir die Profetin ge-
　　　meldet.

aum dies hatt' er gesagt, da ein Paar leicht-
　　　fliegender Tauben　　　　　　　　190

vor des Mannes Gesicht am heiteren Himmel
　　　daherkam,

ıf die grünende Flur absank.　Es erkannte der
　　　Mutter

ohrene Vögel der Held, und betete freu-
　　　dig:

eitet mich ıhr, ist etwa ein Weg, und einher
　　　durch die Lüfte

in die Haine den Lauf, wo reich dem trieb-
　　　samen Boden　　　　　　　　　195

t der Sprofs.　Und du, o verlafs nicht, gött-
　　　liche Mutter,

ı der Noth! — So rief er empor, und hemmte
　　　den Fufstritt,

·ksam, was zeichne der Flug, wie verfolge die
　　　Richtung;

ıum Weiden gesenkt, entflatterten ferner und
　　　ferner,

; sie konnt' abreichen der Folgenden schärferes
　　　Hinschaun.　　　　　　　　　　200

la sie kamen zum Schlund' und strengen Ge-
　　　dünst des Avernus,

sie rasch sich empor, und die lauteren Lüfte
　　　durchgleitend,

Senken zum Siz, o erwünfcht! fich beid' auf der
      Wipfel des Baumes,
Wo durch Grün abftechend der goldene Schimmer
      hervorblinkt.

205 So wie in Waldungen oft bei winterndem Froft
      die Miftel
Jugendlich grünet von Laub, die nicht ausfäet ihr
      Stammbaum,
Und mit feuriger Frucht um ründliche Äfte fich
      breitet:
Alfo war die Geftalt dem fproffenden Gold' in der
      dunkeln
Steineich', alfo klirrte das Blech im Säufel des
      Windes.

210 Hurtig ergreift Äneas den Zweig, und den zaudern-
      den bricht er
Gierig, und trägt ihn zum Haufe der ahnungsvollen
      Sibylla.
    Aber indefs wehklagten die Teukrer am Strand'
      um Mifenus
Traurig, die lezte Pflicht undankender Afche be-
      zahlend.
Anfangs, reichlich genährt mit Kien und gefpaltenem
      Kernholz,

215 Stapelten fie hochauf das Gerüft; mit düfterem
      Reifig
Werden die Seiten umwebt, und davor die Cypreffen
      des Grabes
Aufgeftellt, und die Höhe mit leuchtenden Waffen
      verherlicht.
Theils auch fiedende Ström', und von Glut aufwal-
      lende Keffel,

man; und den Leib des Erkalteten bähn fie
und falben.

ʒ' hallt. Dann ruht der Beweinete fanft auf
dem Polfter;   220

arbne Gewande darauf, die bekannte Um-
hüllung,

fie aus; es erhebt ein Theil die mächtige
Bahre,

r Dienft! und unter den Stofs, nach der
Weife der Väter,

lie zündende Fackel Gewendete. Häufig ver-
brennt man

ch, heilige Koft, und gefüllete Kannen des
Öles.   225

Afche nunmehr hinfank, und die Flamme
geftillt war;

ler Reft mit Weine getränkt, und der fchlür-
fende Glimmer;

ıd barg das Gebein in den ehernen Krug
Korynäus;

ıit Reinigungsflut dreimal umtrug er die
Freunde,

ıd mit duftigem Thau und dem Bufch des
glücklichen Ölbaums,   230

die Männer umher, und fprach die Worte
des Abfchieds.

· fromme Äneas erhebt ein gewaltiges Grab-
mal

n Mann, und fein eignes Gewehr, die Drom-
met' und das Ruder,

dem luftigen Berge, der nun Mifenus von
jenem

235 Heifst; und in ewige Zeit den daurenden N&a
    behauptet.

  Diefes gethan, vollführt er in Haft den Be&
    der Sibylla.

Dort war ein. tiefes Geklüft, grundlos, unendli&
    Schlundes,

Schrof,` vom finfteren See und der Hainumfchatt
    gefichert.

Drüber vermocht' ungeftraft niemals noch irgend
    Vogel

240 Fort fich zu fchwingen im Flug: fo ftreng' aus
    keler Mündung

Stets, aushauchender Qualm ftieg auf zum gewöll
    Himmel.

Hier nun wars, wo zuerft vier dunkelleibige
    ren

Darftellt', und auf die Stirne die Priefterin n
    den Weingufs,

Dann die oberften Haare, gerupft aus der Mitt
    Hörner,

245 Als der Sühnung Beginn, einlegt' in die h
    Flamme,

Rufend der Hekate Macht, die im Himmel
    Erebus waltet.

Andere ziehn von unten die Kling', und em
    in den Schalen

Lauliches Blut. Selbft jezo ein rings fchwarz
    ges Aulamm

Würgt mit dem Schwerte der Held für der F
    Mutter und Tellus;

250 Dir, Proférpina, würgt er die Kuh, unfruchtba
    fehllos.

chtaltäre darauf dem � ſtygiſchen König erbaut er,

ʒet ſodann in die Flammen der Stier' ungetheilete
Leiber,

tte des Öls aufgieſsend den brennenden Einge-
weiden.

Aber o fieh, um die Helle der nahenden Sonn'
und den Aufgang,

illte das Land tief unter dem Fuſs, es erbebten
die Berghöhn 255

nt dem Gehölz; auch tönt es wie Hundegeheul
durch den Schatten,

; annahte die Göttin. Hinweg, o hinweg,
Ungeweihte!

ıft die Seherin laut: und enthaltet euch ferne des
Haines!

ıch dú wandre den Pfad, und raffe den Stahl aus
der Scheide!

zt iſt Mut, Äneas, dir noth, jezt männliche
Faſſung! 260

Dies nur ſprach fie, und ſtürzte mit Wut in die
offene Felskluft.

ıſch der Führerin folgt er mit gleich unerſchrocke-
nem Schritte.

Götter der Macht, die den Seelen gebeut, und
verſtummende Schatten,

ıaos und Phlegethon auch, weitſchweigende Orte
des Nachtgrauns!

i mir Gehörtes zu reden erlaubt, und mit euerer
Vollmacht 265

ufzudecken, was tief Erdreich und Finſterniſs
einhüllt!

Beid' izt gehn fie dunkel die einfam fchatte█
Nacht durch,

Und durch Dis einödes Gebiet und leere B█
haufung:

Wie bei zweifelndem Lichte des Monds in kär█
lichem Schimmer

270 Geht durch Waldung der Weg; wann trüb' umfcha█
tet den Himmel

Jupiter, und rings alles entfärbt in Dämmerun█
fchwebet.

Selber am Eingang nun, und im vorderfte█
Schlunde des Orkus,

Lagerte fich mit dem Grame der Schwarm nachreu█
ender Sorgen;

Blafs auch wohnen umher Krankheiten, und trauri█
ges Alter,

275 Angft, und fchmähliche Noth, und übelrathender
Hunger:

Graufe Geftalten zu fchaun! und der Tod, und die
ringende Drangfal;

Dann der Bruder des Todes, der Schlaf, und des
frevelen Herzens

Schwärmungen; vorn an der Schwelle des Kriegs
mordtriefendes Scheufal,

Eiferne Furienkammern zugleich, und die rafende
Zwietracht,

280 Ihr durchfchlängeltes Haar von blutigen Binden
gefeffelt.

Mitten erftreckt unmäfsig die uralt ragenden
Arme

Ein dumpffchattiger Ulm: wo, fagt man, rings ein
Gegaukel

ger Träume verkehrt, und jeglichem Blatte
    sich anschmiegt.

viel andere noch der vielfach schreckenden
    Wunder

n am Thor, Centauren, und zweigestaltete
    Scyllen,   285

us, hundertfältig an Wuchs, und das Gräuel
    von Lerna,

ıd der Hälfe Gezisch, und, mit Glut ankäm-
    pfend, Chimära,

Harpy'n und Gorgonen, und du, dreileibiger
    Unhold.

von plözlichem Schrecken bewältiget, faſst er
    das Eisen

mig, der Held, und gezuckt den kommenden
    beut er die Schärfe;   290

venn nicht die Gefährtin ihn weiſ' anmahnete,
    leiblos

:e luftiges Leben in nachgeschatteter Bil-
    dung;

t' er hinein, mit dem Eisen umsonst die Sche-
    men zerschlagend.

ezo der Weg, der zum Strom des tartarischen
    Acheron führet.

ísch hier von Moraſt und unermeſslichem
    Strudel   295

: der Schwall, und stürzet den rollenden
    Schlamm zum Kocytus.

Ström' und Gewäſser bewahrt der gräſsliche
    Fährmann

n, in ſtarrendem Wuſt graunvoll: dem ſtrup-
    pige Gräue

Dick umſtrozet das Kinn; hell ſtehn die Augen
    Feuer;
300 Aufgeknotet enthängt die ſchmuzige Hülle d
    Schultern.
Stroman drängt mit dem Schalter der Greis, und
    dienet die Segel,
Todtengebild' auffahrend im eiſenfarbigen
    chen,
Ältlich bereits; doch friſch iſt dem Gott und grüne
    das Alter.
Dorthin ſtürzt' anſchwärmend das ganze Gewühl
    die Uſer:
305 Mütter zugleich und Männer, und einſt groſsherz
    ger Helden
Geiſtige Rieſengeſtalt, und Knaben und bräutlic
    Jungfraun,
Jüngling' auch, auf die Scheiter geſtreckt vor d
    Augen der Eltern:
Zahllos, ſo wie im Walde, wann herbſtliche Kält
    beginnet,
Fallende Blätter verwehn; wie zum Land' aus tie
    fem Gewäſſer
Zahllos Vögel im Schwarm aufziehn, wann kältere
    Jahrzeit
310 Über das Meer ſie verſcheucht, und zu ſonnigen
    Landen entſendet.
Flehend ſtanden ſie all', um zuerſt hinüber zu
    kommen,
Streckten die Händ', und ſahn zum anderen Uſer
    mit Sehnſucht.
Doch bald dieſen empfäht, bald den, der düſtere
    Schiffer;

re treibt er hinweg, mit geworfenem Schlamm
      fie entfernend. 315

Aber Äneas, verwunderungsvoll, und bewegt
      von dem Aufruhr:

mir, Jungfrau, fprach er, was will das Gedräng'
      an dem Strome?

ift der Seelen Begehr? Durch welcherlei Son-
      derung fliehn doch

den Strand, da dort auf gebräuneter Welle
      fie rudern?

Kurz antwortete jenem die Priefterin grauen-
      des Alters: 320

, anchififcher Sprofs, unverkennbarer Same der
      Götter,

hier fumpft des Kocytus Ergufs, und der
      ftygifche Pfuhl hier,

n Gewalt abfchrecket von Eid und Verlezung
      die Götter.

der Schwarm, den du fchauft, ift noch unbeftat-
      tet und hülflos;

: des Kahns ift Charon; Begrabene trägt das
      Gewäffer. 325

ift über die Borde des Grauns und die brau-
      fenden Fluten

fie zu führen vergönnt, bis beerdiget ruhn die
      Gebeine.

lert Jahr' unftät, umfchweben fie flüchtig die
      Strand' hier;

erft finden Empfang fie, genaht den erfehneten
      Sümpfen.

Stehn blieb hier des Anchifes Gefchlecht, und
      hemmte den Fufstritt, 330

Viel nachdenkend im Geift, und das klägliche Sc
   fal bedaurend.

Auch leidtragende Freunde, der Ehr' im
   beraubet,

Schaut er, Lykaspis gefellt zum Lycierfi
   Orontes:

Welche zugleich, da von Troja durch brau
   Meere fie fuhren,

335 Senkte der Sturm, in Gewog' einrollend das
   und die Männer.

  Siehe da kam der Steurer einher, Palin
   gewandelt,

Der auf der libyfchen Fahrt jüngfthin, die Ge
   beachtend,

Sank, vom Kaftelle geftürzt, in der Mitt' aufw
   der Meerflut.

Ihm, da er kaum den Betrübten erkannt im du
   len Schatten,

340 Rief er alfo zuerft: Wer doch, Palinurus,
   Götter

Hat dich hinweg uns geraft, und verfenkt in
   Mitte des Meeres?

Sage wohlan! denn es hat, der zuvor nie Teufc
   gen ausfprach,

Durch die eine Verkündung das Herz mir getr
   Apollo,

Welcher verhiefs, du folltest, vom Meer unbefc
   get, fortgehn

345 Zu dem aufonifchen Ziel. Ift das die verfic
   Treue?

  Jener darauf: Nicht hat dich geteufcht der
   bifche Dreifufs,

des Anchifes, o Held, noch ein Gott in das
Meer mich gefenket.

das Steuer, das etwa durch drängende Kraft
, fich gelöfet,

ch zum Hüter beftellt anhaftete, lenkend die
Meerfahrt,

ich im Sturze mit mir. Bei dem finfteren
Meere betheur' ich, 350

ich nimmer für mich fo ängftliche Sorge
getragen,

lir möchte, beraubt des Geräths, nach entfchüt-
teltem Meifter,

ausdauren das Schif in fo hoch auffteigenden
Waffern.

der winternden Nächt', unermefsliches Wogen-
gewühl durch,

mich der Süd machtvoll auf der Flut; mit dem
vierten der Morgen 355

ich Italia fern, hochher von der Spize der
Brandung.

ch fchwamm ich zum Lande hinan; fchon Sich-
res gewann ich;

nicht graufames Volk, da vom triefenden
Kleid' ich befchwert war,

die gebogenen Händ' ausftreckt' an die Zacke
der Felswand,

mit dem Stahl anrannt', und Beut' unkundig
verhofte. 360

lält mich die Flut, mich drehen die Wind' am
Geftad' um.

bei dem freundlichen Licht und der Luft Ein-
athmungen fleh' ich,

Und bei dem Vater dich an, und dem blühend**
'   Erben Iulus!

Reiſs mich aus ſolcherlei Gram, Unbezwungen**
                    Streu mir entweder

365 Wenigen Staub, denn du kannſt, und geh zum vel**
                    niſchen Hafen;

Oder, iſt irgend ein Weg, den dir die göttlich**
                    Mutter

Zeigete, (denn, wie mir daucht, nicht ohn' obwa**
                    tende Götter

Strebſt du, ſo mächtige Ström' und den ſtygiſche**
                    Pfuhl zu befahren)

Reiche mir Armen die Hand, und laſs durch d**
                    Fluten mich mitgehn;

370 Daſs ich zum wenigſten todt ausruh' in behaglich**
                    Stille!

          Als er ſolches geſagt, da begann alſo di**
                    Profetin:

O woher, Palinurus, dir ſo graunvolle Be**
                    gierde?

Du Unbeerdigter willſt die ſtygiſche Flut, und d**
                    ernſten

Furienſtrom anſchaun, und zum Strand' ungeheiſs**
                    hinweggehn?

·375 Ende den Wahn, daſs Göttergeſchick ſich wende de**
                    Anflehn!

Aber vernim, was ich rede, den Troſt der harte**
                    Begegnis.

Denn die Benachbarten werden umher durch di**
                    Städte, wenn Vorſchau

Himmliſcher Wunder ſie ſchreckt, dir weihn der Ge**
                    beine Verſöhnung,

len erheben ein Grab, und am Grab' hochfeier-
lich opfern;
von dir wird ewig der Ort Palinurus genannt
fein.   380
Durch dies Wort fchwand jenem die Sorg', und
im traurigen Herzen
pft' er ein wenig den Gram, gleichnamiges Landes fich freuend.
Sie nun gehen den Gang vorwärts, und nahen
der Strömung.
wie der Ferge fie fehon dort fah von der ftygifchen Flut her,
durch ftilles Gehölz fie den Fufs zuwandten dem
Ufer;   385
er zuerft mit Worten fie an, und trozig beginnt
er:
Wer du auch bift, der gewapnet zu unferen
Fluten heranftrebt,
h, weswegen du kommft, gleich dort! und
hemme den Fufstritt!
ift der Schatten Bezirk, der betäubenden Nacht
und des Schlafes.
nde wehrt mir zu führen im ftygifchen Kahne
das Schickfal.   390
t mir Freude fürwahr bracht' Herkules, welchen
ich aufnahm
in den Teich; nicht brachte Pirithous Freude,
noch Thefeus:
war Göttergefchlecht, und an Kraft unbezwinglich fie waren.
r zog mit der Hand den tartarifchen Hüter zur
Feffel

395 Selbſt von des Königes Thron, und fort den erzitter**[?]**
　　　den ſchleppt' er:

Dieſe da wagten dem Diſ vom Gemach zu entreiſ**[?]**
　　　die Fürſtin.

　　Kurz antwortete drauf die amfryſiſche Seher**[?]**
　　　　alſo:

Nicht Nachſtellungen hier, nicht droht (o entſage **[?]**
　　　Unruh!)

Waffengewalt. Gern mag der gewaltige Pförtner in**[?]**
　　　Fels dort.

400 Durch endloſes Gebell die entfärbeten Geiſter er**[?]**
　　　ſchrecken,

Mag Proſerpina keuſch das Gemach einnehmen d**[?]**
　　　Oheims.

Troja's Held Äneas, durch Frömmigkeit glänzend un**[?]**
　　　Waffen,

Steigt zu dem Vater hinab in des Erebus düſtere**[?]**
　　　Abgrund.

Wenn dich nicht der Gedanke bewegt ſo frommer**[?]**
　　　Empfindung;

405 Schaue den Zweig (ſie enthüllt den verborgene**[?]**
　　　Zweig aus der Kleidung,)

Ob du ihn kennſt! — Nun ſinket vom ſchwellende**[?]**
　　　Zorne das Herz ihm.

Weiter kein Wort; anſchauend des ſchickſalſproſſe**[?]**
　　　den Reiſes

Herliches Ehrengeſchenk, das nach langer Zeit ihm**[?]**
　　　geſehn ward,

Wendet er ſteuerwärts ſein bläuliches Boot an das
　　　Ufer,

410 Drauf der Seelen Gewimmel, das längs den Bänken**[?]**
　　　gereiht ſaſs,

mt er hinweg, und öfnet die Gäng', und empfäht
den erhabnen

l Äneas im Raum: es erſeufzt der belaſtete
Nachen,

htgewebt, und ſauget, der ſpaltige, viel des
Geſümpfes.

ich dem Strom jenſeits unbeſchädiget, Mann
und Profetin,

er in wüſtem Moraſte ſie aus, und bläulichem
Teichſchilf.   415

Cerberus vorn, machtvoll dreiſchlündiges Bellen
erhebend,

umher, ausdehnend den gräſslichen Wuchs in
der Felskluft;

, da er ſchon voll Schlangen die Hälſ' auſſträubt,
die Profetin

a betäubenden Kloſs mit würzigen Säften und
Honig

nirſt. Er, drei Rachen in raſendem Hunger eröfnend,   420

appt den geworfnen hinweg, und den ungeheueren Rücken

er geſtreckt, und ruht langhin durch die Höhle
gebreitet.

unig gewinnt Äneas den Schritt, da der Hüter
berauſcht lag,

er enteilt dem Geſtade der unrückgängigen
Waſſer.

Plözlich ertönts von Stimmen daher, und lautem Gewimmer,   425

von kindlichen Seelen, die weineten, vorn an
dem Eingang:

19*

Welche, da kaum fie erblühten mit Luft, von der
       Bufen der Mütter

Raubte der dunkele Tag, und unreif fenkt' in die
       Grube.

Diefen zunächft, die dem Tod' unwahre Befchul-
       digung zufprach.

430 Doch wird keinem verliehn ohn Loos und Richter
       der Wohnfiz:

Minos verhört und fchüttelt die Urn'; er ruft die
       Verfammlung

Schweigender Schatten heran, und urtheilt Leben
       und Vorwurf.

Hierauf halten den Ort die Traurigen, welche
       den Tod fich

Schufen mit eigener Hand fchuldlos, und, des Lichts
       Verächter,

435 Selber die Seel' hinwarfen. Wie gern in der heite-
       ren Höhe

Möchten fie jezt Armut ausftehn und harte Bedräng-
       nis!

Richtfpruch hemmt; und des Trauergefümpfs un-
       freundliche Waffer

Bändigen, und neunfältig umftrömet die Styx fie ver-
       kerkernd.

Auch nicht ferne davon in ausgebreitetem Um-
       fang

440 Zeigt man die Felder des Grams; denn alfo nennt
       man die Gegend.

Hier find, welche der Lieb' hinfchmachtender Kum-
       mer getilget,

Auf einfameren Pfaden verfteckt, und Myrtenum-
       fchattung

let fie eip.; nicht fchwindet auch felbft im Tode
die Schwermut.

r auch Phädra und Prokris erblicket er, und
Erifyle,

lche betrübt vorzeigte des graufamen Sohnes Ver-
wundung. 445

h Euadne, Pafifaë dann, und Laodamia

en gefellt dir, Jüngling vordem, nun Mädchen,
o Cänis,

:derum vom Gefchick in vorige Bildung gewandelt.

h die Phönicerin dort, die frifch verwundete
Dido,

' umher im grofsen Gehölz. Da der troifche
Heros 450

fer zuerft annaht', und eben erkannt' in der Dämm-
rung

o's dunkle Geftalt, wie wer im beginnenden
Monat

ch umnebelnde Wolken den Mond fieht, oder zu
fehn glaubt;

met' er Thränen herab, und begann voll herzlicher Liebe:

Unglückfelige Dido, fo hat mir wahre Verkündung, 455

s du gefchieden, erzählt, und mit Stahl dem Ende
genaht feift?

, und des Wehs Urheber war ich? Bei den
Sternen befchwör' ich,

l bei den Oberen, ja, wenn Bekräftigung unter
der Erd' ift:

r ungern von deinem Geftad', o Königin, fchied
ich.

460 Aber der Götter Befehl, der jezt durch Schatten zu
    wandern,

Schimmel hindurch und Moder mich zwingt, und
    Tiefen des Nachtgrauns,

Hat mit strenger Gewalt mich gescheucht. Nicht
    glauben ja konnt' ich,

Daſs ſo heftigen Schmerz ich dir aufregte durch
    Trennung.

Hemme den Schritt, und entferne dich nicht aus
    unſerem Anblick!

465 Fliehſt du? o wen? Heut gönnt mir zulezt Anrede
    das Schickſal!

    Alſo verſucht' Äneas, da wild und düſter ſie
    ſchaute,

Ihr durch freundliche Worte das Herz, und weinte
    mit Inbrunſt.

Jene hält auf den Grund abwärts die gehefteten
    Augen;

Nicht wird mehr ihr Geſicht vom begonnenen Worte
    beweget,

470 Als wenn harter Granit daſtänd' und marpeſiſcher
    Marmor.

Endlich raft ſie ſich auf, und entflieht feindſelig von
    dannen

Tief in den ſchattigen Hain: wo der vorige Gatte,
    Sychäus,

Ihr vollherzige Lieb' und zärtliche Sorgen erwie-
    dert.

Doch nicht minder Äneas, gerührt von dem trau-
    rigen Unfall,

475 Blickt mit Thränen ihr nach, und bedaurt die Schei-
    dende innig.

Fort nun ftrebt er die Bahn des Gefchicks; und
die äufserfte Flur fchon

n fie, wo fich gefondert der glänzenden Krieger
Verfammlung.

begegnet ihm jezt Tydeus, hier, waffenberühmt
einft,

enopäus der Held, und das Bild des bleichen
Adraftus.

auch, viel dort oben beweint, die im Streite
gefunkne   480

merfchaar; die all' in die Läng' hin jener
betrachtend

ete: Glaukus zugleich, und Therfilochus, auch
Polyfötes,

geweiht, auch Medon, zufammt drei Söhnen
Antenors,

Idäus, der noch das Gefpann, noch Waffen
behauptet.

mftehn ihn die Seelen, fich rechtsher drängend
und linksher,   485

einmal ihn zu fehen genügt; froh weilt man
beftändig,

auch gefellt man den Schritt, und forfcht, weswegen er ankam.

die Danaerhäupter, und alles Gewühl Agamemnons,

ie fie fchauten den Mann und die blinkenden
Waffen im Dunkel,

n fie bang' und erfchrocken umher: theils
wandten den Rücken,   490

fie vordem zu den Schiffen entflohn; theils hu-
ben der Stimme

.Zarten Laut: es verfagt das Gefchrei den geöfn
Kehlen.

Jezt auch des Priamus Sohn, dem zerfleifcht
ganze Geftalt war,

Schaut er, Deïfobus dort, wie zerfezt unmenfch
das Antliz,

495 Antliz und Händ' er erhub, wie beide verwü
Schläfen

Ohrenlos, und die Nafe von fchändender Wunde
ftümmelt.

Kaum erkennt er fogar den Verfchüchterten, wel
die graufe

Marter bedeckt, und redet mit traulicher Sti
zuerft an:

Teukrus erhabener Sprofs, Deïfobus, Edler
Kampfes!

500 Weffen Herz doch erfann, fo graufame Strafe
üben?

Wem war erlaubt fo Grofses an dir? In der äu
ften Nacht doch

Hört' ich den Ruf, müd' endlich vom Mord zahl
Pelasger

Seift du gefunken zu ruhn auf verworrener Lei
erhöhung.

Selbft dann häuft' ich empor am rhöteïfchen
ein leeres

505 Rafengrab, und den Geift dreimal anrufend
grüfst' ich.

Nam' und Waffen behaupten den Ort. Dich,
ter, vermocht' ich

Nicht zu erfpähn; noch fcheidend in heimifche
zu legen.

Hierauf Priamus Sohn: Nichts blieb dir, o
   Trauter, verabfäumt;
gefchah für des kalten Deïfobus Geift, was dir
   oblag.
mich hat mein Gefchick, und der frevlen Lakonerin Unthat   510
lies Leiden verfenkt; das liefs mir jene zum
   Denkmal.
ı wie die äufserfte Nacht wir unter verräthrifchen
   Freunden
efchwärmt, das weifst du; zu laut nur ruft die
   Erinnrung.
das Verhängnisrofs fich' hereinfchwang über
   die hohe
amos, und fchwer trug den gewapneten Streiter
   im Bauche;   515
helte jene den Chor, und führt' im bacchanti-
   fchen Taumel
gifche Weiber umher; felbft hielt fie die Flamm'
   in der Mitte,
ter Loh', und rief von der oberften Burg die
   Achäer.
ı indefs, den Sorge des Tags und Ermüdung
   belaftet,
t das unheilvolle Gemach, und den Ruhenden
   drückte   520
t unerwecklicher Schlaf, dem friedfamen Tode
   vergleichbar.
r die trefliche Gattin entfernt aus dem Haufe die
   Waffen
, nachdem mir zum Haupte das biedere Schwert
   fie entwendet,

Ruft in das Haus Menelaus herein, und öfnet die
          Schwellen:

525 Hoffend fürwahr, das werde dem Liebenden große
          Gefchenk fein,

Und fo könne fie tilgen den Ruf der vorigen Frevel.

Was noch gefäumt? Man ftürmt ins Gemach; auch
          fügt als Genofs fich

Äolus Sohn, Anrather des Gräuls. Gebt, Götter, den
          Grajern

Sólches zurück, wenn fromm mein Mund die Ver-
          geltungen fodert!

530 Doch was hat für ein Loos dich Lebenden (melde
          mir wieder!)

Hergebracht? Wie? kommft du, vom ftürmenden
          Meere verfchlagen?

Oder auf Göttergeheifs? O welch Unheil doch be-
          drängt dich,

Dafs du zum Graun fonnlofer, verworrener Wohnun-
          gen eingingft?

Bei dém Wechfelgefpräch hatt' Aurora mit rofi-
          gem Vierfpann

535 Schon die Mitte des Pols im ätherifchen Laufe durch-
          wandert;

Und leicht hätten fie alle verliehene Zeit fich ver-
          fchwendet.

Aber die Führerin warnt' und redete kurz, die Sibylla:
          Drängt doch die Nacht, Äneas; und wir ver-
          weinen die Stunden!

Hier ift der Ort, wo der Weg in zween Abwege fich
          fcheidet.

540 Rechtshin, welcher zu Dis, des gewaltigen, Mauren
          hinanftrebt;

uf gehen wir fort in Elyfium: jener zur
    Linken

  die Verbrecher mit Straf', in den frevelen
    Tartarus führend.

Drauf Deïfobus fo: Nicht eifere, grofse Pro-
    fetin.

l' ich denn, und ergänze die Zahl, und kehre
    zum Dunkel.

geh, unfere Zier, und erfreue dich befferes
    Schickfals!   545

Alfo redete jener, und dreht' in dem Worte den
    Fufstritt.

.ch fchaut Äneas zurück, und links an dem
    Felfen

er ein weites Verfchlofs mit dreifach umzin-
    gelnder Mauer:

.ch der Phlegethon rings mit dem Sturz aufftru-
    delnder Flammen

et, des Tartarus Strom, und tofende Steine da-
    herrollt.   550

die gewaltige Pfrt', und Gefeul aus gediege-
    nem Demant:

nicht Männergewalt, nicht felbft der Unfterb-
    lichen Angrif

zubrechen, vermag. Hoch ragt ein eiferner
    Thurm auf.

Tififone fizt, den blutigen Mantel ge-
    fchürzet,

und Tag fchlaflos, und bewahrt die Schwelle
    des Eingangs.   555

er fcholl Wehklag' und Gefeufz, und wütende
    Geifseln

Schwirrten empor; auch Eifengeklirr, und gezo
     Ketten.

Stehen bleibt Äneas, und horcht mit Entfezen
     Aufruhr:

  Welche Geftalt der Verbrechen? o Jung
     rede! mit welcher

560 Peinigung drängt fie die Strafe? was hallt für
     mer zur Luft auf?

  Wieder begann die Profetin: Erhabener
     danusenkel,

Nicht ift Reinen erlaubt, der Freveler Or
     betreten;

Doch als Hekate mir die Haine befahl
     Avernus,

That fie der Ewigen Strafe mir kund, und f
     mich ringsum.

565 Hier übt harte Befehle der Gnofierheld R
     manthus,

Züchtiget ftreng' und verhört den Betrug, und z
     zum Bekenntnis.

Wenn in der oberen Welt, der leeren Verheimlic
     fröhlich,

Einer zum Tode die Bufs' auffchob, defs was e
     fündigt.

Stracks die Schuldigen dann, mit rächender G
     gerüftet,

570 Schlägt Tififone höhnend, und ftreckt in der Li
     gewundne

Schlangen daher, und ruft den graufamen Zug
     Gefchwifter.

Jezt auf raffelnder Angel erklirrt und breite
     hehre

elpforte fich auf. Du fiehft, wie drohend am
Eingang

die Hut, und welche Geftalt die Schwelle
bewahret.

ie entfezliche Hyder mit funfzig dunkelen
Schlünden   575

och drohender innen den Siz. Und der Tartarus felber

.t zweimal fo tief fich hinab in die Schatten
des Abgrunds,

irch den Himmel der Blick zu ätherifchen Höhn
des Olympus.

ift der Erd' uraltes Gefchlecht, die titanifche
Jugend,

ie, vom Donner verfenkt, am unterften Grunde
fich wälzet.   580

des Aloëus Söhne, die Zwillinge, gräfsliches
Wuchfes,

et' ich, die mit den Armen den Bau des erhabenen Himmels

reifsen gewagt, und Zeus von dem Throne zu
ftürzen.

den Salmóneus fah ich, der fchwer dem Jupiter
büfste,

r den Bliz nachahmt' und den Donnerhall des
Olympus.   585

, von vier Zugroffen geführt, und die Fackel
erfchütternd,

durch Grajer einher und die Stadt der bevölker-
ten Elis,

im Triumf, und für fich der Unfterblichen Ehre
verlangt' er,

Rafender! welcher den Stral und die unnachahm
          ren Wetter
Hatte mit Erz und Geſtampf hornfüfsiger Gaule
          ähnlicht!
590 Doch der allmächtige Vater, hervor aus dichtem
          wölk nun
Schwang er Geſchofs, nicht Bränle daher, noch d
          pfendes Kienes
Leuchtungen, häuptlings hinab in unendlichem W
          bel ihn ſchmetternd.
Tityos auch, den Zögling der allgebärenden
          de,
Schaute mein Blick: der ganz durch neun Feldhuf
          den Leib hin
595 Ausdehnt; weil krummſchnablig ein überſchwä
          licher Geier
Ihm die unſterbliche Leber zerhackt, und erneuet
          Strafen
Sproſſendes Fleiſch einwühlet nach Schmaus, un
          unter der Bruſt tief
Wohnet, und niemals Ruhe vergönnt nachwachſende
          Fibern.
Meld' ich annoch den Lapíthen Pirithous, und de
          Ixion?
600 Denen ein dunkeler Fels, ſtets drohend den Fall, un
          dem nieder
Schmetternden gleich, obſchwebet: den feſtlich erha
          benen Polſtern
Stralt ein göldnes Geſtühl, und bereiteter Schmaus
          vor dem Antliz
Prangt in Königespomp; doch der Furien älteſte
          lieget

m gefellt, und verwehrt zu ftrecken die Hand
  nach den Tafeln, . 605
fich empor mit der Fackel, und droht aus donnerndem Munde.
, wer Hafs dem Bruder gehegt, als daurte das
  Leben,
den. Vater verftiefs; wer mit Trug umftrickte
  den Schuzfreund;
wer brütend allein oblag dem erkargéten Reichthum,
kein Theil den Seinen verlieh: zahlreiches Gewimmel! 610
in des Ehbruchs Schlichen erlag; wer frevelnden Waffen
te; wer ungefcheut Treulofigkeit übte für Wohl-
  that:
rwarten fie Straf' im Verfchlofs. Nicht heifche
  Belehrung,
he Straf', und in welcher Geftalt fie belafte das
  Unheil.
es Geftein wälzt diefer; und der an den Spei-
  chen der Räder 615
ebt aus einander gereckt; hier fizt, und ewig
  hinfort fizt
us unglücksvoll; und Phlégyas warnet im
  Elend
umher, und bezeugt fie mit lautem Ruf durch
  die Schatten:
et gewarnt recht thun, und nicht misachten die
  Götter!
r verkaufte für Gold fein Volk; willkührliche
  Herfchaft 620

Gründete der; und Gefez', ein Gedungener, fcha
und tilgt' er.

Diefer drang in der Tochter Gemach, und in E
des Gräuels.

All' erfrechten fich fchnödes Vergehns, und gene
der Frechheit.

Nein, wenn auch hundert Zungen ich hätt', und h
dert der Kehlen,

625 Eifernen Laut, nie könnt' ich fie all' umfaffen
Frevel,

Nie fie alle durchgehn, die Benennungen räche
Strafen.

Als fie die Worte gefagt, die profetifche Gr
Apollo's:

Aber wohlan, nun flügle den Gang, und voll
den Auftrag;

Hurtiger, fprach fie, geeilt! in cyklopifcher
gefchmiedet,

630 Ragt mir entgegen die Burg, und vorn der ge
bete Eingang,

Wo uns Götterbefehl das Gefchenk zu entrichten
bietet.

Jene fprachs; und zugleich die dumpfigen P
durchwandelnd,

Raffen fie beide den Raum, und nahn der gedo
ten Pforte.

Schleunig gewinnt Äneas den Schritt, und mit
fchem Gewäffer

635 Sprengt er den Leib, und heftet den Zweig an
Stirne des Thores.

Als nun folches vollbracht, und der Herfch
Gabe geweiht war,

n fie hin zu den Fluren der Wonn', und den
grünenden Luftaun

feliger Hain', und den Wohnungen friedfames
Heiles.

mit reinerer Hell' umfchwebt die Gefilde der
Äther

und eigene Sonn' erkennen fie, eigene Sterne. 640

nun übt man die Glieder im grafigen Plane
des Luftkampfs,

vetteiferndem Spiel, und ringt in gelblichem
Sande.

ftampft man mit den Füfsen den Tanz, und
finget das Chorlied.

der Thracierbard' in lang hinwallender Kleidung

zum gemeffenen Liede die fiebenhallige Leier, 645

mit dem Finger, und bald mit dem Elfenbeine
fie rührend.

ift altes Gefchlecht, des Teukrus herlicher Ab-
ftamm,

gefinnte Heroen, erzeugt der befferen Vorzeit,

Affarakus auch, und Dardanus, Stifter von Troja.

n bewundert er fern und ledige Wagen der
Männer. 650

n ftehn in die Erde gebohrt, und es irren
gelöfet

nde Rofs' im Gefilde. Wie grofs die Liebe
der Wagen

den war und der Waffen, wie aufmerkfam die
Ernährung

s Gefpanns, fo folgt fie den Ruhenden unter
die Erd' auch.

655 Andere fiehet er dort, rechtshin durch den Rafen
und linkshin,

Liegen am Schmauß, auch fingen im Chor den freu-
digen Päan,

Unter des Lorberhains Umduftungen: wo von der
Höhe

Vollgedrängt durch den Wald des Eridanus Strom
fich herabwälzt.

Hier, wer Wunden im Kampf für das Vaterland fich
erftrebet;

660 Wer fich rein als Priefter bewahrt, weil daurte das
Leben;

Auch wer fromm als Dichter, und Würdiges fang
des Apollo;

Wer, ein Erfinder, das Volk durch Kunft ausbildet
und Weisheit;

Und wer fonft durch Verdienft Erinnerung feiner
zurückliefs:

Allen umgürtet die Schläf' ein fchneeweifs glänzen-
des Stirnband.

665 Sie, die umher fich ergoffen, befragt alfo die Sy-
bylla;

Doch den Mufäus vor allen, dieweil zahlreiches
Gedräng' ihn

Einfchliefst, und, wie er hoch aufragt mit der Schulter, emporfchaut:

Nennt, glückfelige Geifter, und du, hochherlicher
Seher,

Gegend und Ort, wo Anchifes verweilt; denn nur
um Anchifes

670 Kamen wir her, durchfchiffend des Erebus mächtige
Ströme.

Ihr mit wenigen Worten erwiederte alfo der
Heros:

einem ist eigenes Haus; ringsum in fchattigen Hainen

fohnen wir; fchwellende Bord' und Auen um fri-

fchende Bächlein

etten uns zarift. Doch ihr, wenn fo im Herzen der

Wunfch ift,

eigt dort über die Höh; und ioh bring' auf gemäch-

lichen Fufspfad.   675

Sprachs, und wandelte felber voran, und die
lachenden Felder

digt er von oben herab; dann fteigen fie nieder
vom Gipfel.

Aber Anchifes der Vater, im Schoofs des grünenden Thales

ingefchloffene Seelen, die bald zum Lichte hinauf-
gehn,

orfcht er mit eifrigem Herzen umher, und mufterte
jezo   680

anz die Zahl der Seinen entlang, und die theueren Enkel,

nd die Gefchick' und Leben und That und Sitte
der Männer.

ls er nunmehr anftreben durch grafige Aun den Äneas

ih; voll herzlicher Freud' entgegen ihm ftreckt' er
die Hände,

eichlich entflofs den Wangen die Thrän', und er
brach in den Ruf aus: 685

Kommft du endlich daher, und befiegt die dem
Vater erprobte

ömmigkeit, was dir erfchwerte die Bahn? Schaun
darf ich das Antliz,

20

Deines, o Sohn, und hören das trauliche Wort
      erwiedern?

Zwar fo ahnet' ich immer im Geift, und vertra
      der Zukunft,

690 Wann ich die Zeiten erwog; und nicht war te-
      fchend die Sehnfucht.

Was für Lande hindurch und gewaltige Meere geführt,

Grüfseft du mich! wie getummelt, o Sohn, von fo
      grofsen Gefahren!

O wie forgte mein Herz, dafs Libya Schaden dir
      brächte!

    Jener darauf: Dein Bild, Dein trauriges Bild,
      o Erzeuger,

695 Zwang mich, öfter erfcheinend, herab in diefe Behau-
      fung.

Dort am Tyrrhenergeftad' ift die Flott'. O füge mir,
      Vater,

Füge die Hand, und entferne dich nicht aus meiner
      Umarmung!

    Alfo fprach er, und nezte mit ftrömender Thräne
      das Antliz.

Dreimal ftrebt' er hinan, um den Hals ihm die Arme
      zu fchlingen;

700 Dreimal vergeblich gehafcht entfloh aus den Händen
      das Bildnis,

Wie leichtwehende Wind', und geflügeltem Schlafe
      vergleichbar.

Jezo fchaut Äneas im tief entzogenen Thale

Abgefchloffenen Hain, und raufchende Büfche der
      Waldhöhn,

Auch den lethäifchen Bach, der die ruhigen Size
      vorbeifchwimmt.

n umfchwärmeten rings unzählbare Völker und
Stämme; 705
h wie auf grünender Au, wenn Bienen im heiteren Sommer
fich auf farbige Blumen gefenkt, und um filber-
gekelchte
1 kreifet der Schwarm; rings tönt vom Gefumfe
der Anger.
1dernd der plözlichen Schau fteht dort, und den
Grund der Erfcheinung
ht unkundig Äneas, was fern die fchlängelnde
Flut fei, 710
welch Männergewühl fo dicht umfchwärme die
Ufer.
)rauf Anchifes der Greis: Die Seelen da, welchen das Schickfal
re Leiber beftimmt, umziehn die lethäifchen Fluten,
:ttilgenden Trank und lange Vergeffenheit fchlür-
fend.
fürwahr einft kund dir zu thun und zu ftellen
dem Anblick, 715
'ch' ich längft, und den Stamm dir aufzuzählen
der Meinen;
du mit mir der gefundnen Italia höher dich
freueft.
'ater, wie ift doch glaublich, dafs je freifchwe-
bende Seelen
:n zur Höhe von hier, und zurück in langfame
Leiber
? O woher den Armen des Lichts fo graufe
Begierde? 720

Sei es, gefagt, nicht will ich, o Sohn, dich ı
     Zweifel erhalten:
Nimt Anchifes das Wort, und erklärt nach der On
     nung ein jedes.
Erft den Himmel umher, und Land' und flüfſị
     Ebnen,
Auch: die leuchtende Kugel des Mondſ, und d
     Feuer des Titan,
725 Nährt' von innen ein Geſt; und ganz durchſtrön
     die Glieder
Seel', und reget das All, dem grofsen Leibe v
     einigt.
Dorther Menfchengéfchlecht und Thier' und rafɑ
     Geflügel,
Auch fo viel Meerwunder die wogende Tiefe dur
     taumeln.
Feurige Lebenskraft ift entflammt, und himmlifc
     Urfprung,
730 Jeglichem Keim, fofern nicht fchädliche Stoffe
     zögern,
Nicht fie des Staubes Gelenk abftümpft, und verw
     liche Glieder.
Deshalb Furcht und Begier, auch Schmerz ı
     Freude; zur Luft nicht
Schaun fie hervor, umfchloffen von Nacht und b
     dem Gefängnis.
Ja wenn das Leben fogar mit erlofchenem Licht
     verlaffen;
735 Doch nicht alles Verderb, nicht weicht den Arı
     von Grund' aus
Alles verpeftende Übel des Leibs; an dem Inner
     hängt noch

, das lang' anwuchs, und bekleibt in zäher
>> Vereinung.
wird marternde Strafe geübt, und das alte
>> Verderbnis
üfset durch Pein. Denn Andere fchweben
>> gebreitet
der Wind' Anhauch; und Anderen fpület der
>> Strudel, : 740
de Sünden hinweg; noch Anderen brennt fie
>> die Flamm' aus.
vir dulden im Tode für uns. Durch Elyfiums
>> Räume
ben wir dann, und bewohnen, wir Wenige,
>> Fluren des Heiles;
ngwieriger Tag, nach vollendetem Ringe der
>> Zeiten,
iklebende Makel getilgt, und völlig gekläret 745
len ätherifchen Sinn, und die Glut urlauteren
>> Heitre.
nachdem fie den Kreis durch taufend Jahre
>> gerollet,
um lethäifchen Flufs ein Gott in grofsem Ge-
>> wimmel;
e erinnerungslos die obere Wölbung des Äthers
r fchaun; und willig in andere Leiber zurück-
>> gehn. 750
Anchifes der Greis; und den Sohn und
>> zugleich die Sibylla
in den Schwarm er mitten hinein, und die
>> raufchende Heerfchaar.
erwählt er den Hügel, woher die Gerßiheten
>> fämtlich

Schaun· fie können von vorn, und lernen der Kom
menden Antliz.

755　Jezo wohlan, was hinfort dem Dardanerftamm
für Nachruhm

Folg', und welcherlei Enkel im Italervolke bevorftehn,
Leuchtende Seelen dereinft, die werth gehn unferes
Namens,

Soll dir eröfnen mein Wort, und deine Verhängniffe
kundthun.

Jener, du fchauft, der Jüngling, vom lautere
Schafte geftüzet,

760　Wandelt zunächft dem Lichte durch Loos, und zuerf
in des Äthers

Anhauch wird er entfteigen, verfippt mit italifchem
Blute,

Silvius, dein Nachfpröfsling, ein glänzender Name
von Alba:

Den dir Hochbetagten Lavinia fpät, die Gemahlin,
Auf in Waldungen nährt, den Könige zeugenden
König,

765　Woher unfer Gefchlecht obherfcht in der langen
Alba.

Dort ift Prokas zunächft, der Ruhm des trojanifchen
Stammes,

Capys und Numitor auch, und dir gleichnamig Äneas
Silvius, gleich dir felber, an Frömmigkeit und in den
Waffen,

Glanzvoll, wenn er ja einft Herfchaft ausübet in Alba:

770　Jünglinge, die, o fchaue, wie ftolz und mächtig!
einhergehn,

Und umfchattet die Stirn' im geeichelten Kranze der
Bürger.

: erbaun Nomentum und Gabii, diefe Fidena,

: den Bergen hinfort die collatinifche Feftung,

s Burg, Pometii dann, und Bola und Cora:

find Namen dereinft, jezt namlos liegende Län-
        der. 775

Auch dem Ahn zum Genoffen entbeut der mavor-
        tifche Held fich,

ulus, welchen vom Blut des Affarakus bringet
        die Mutter

Siehft du ihm ftehn den gedoppelten Bufch auf
        der Scheitel,

wie der Vater den Gott mit eigener Ehre ver-
        herlicht?

, in diefem gefegnet erblüht die erhabene Roma, 780

:he die Macht den Landen, den Mut einft gleicht
        dem Olympus,

en Höhen fich felbft mit vereinender Mauer um-
        fchliefsend,

; an Männergefchlecht: fo wie die cybelifche
        Mutter

:mbekränzt auf dem Wagen durch phrygifche
        Städte daherrollt,

: der Göttergeburt, und hundert Enkel umarmend, 785

fie himmlifche Mächt', all' oberer Höhen Bewoh-
        ner.

Dort, o dorthin wende den Blick! Schau jenes
        Gefchlecht dort,

ie Romaner hinab! Dort Cäfar und des Iulus

tlicher Stamm, der hoch zu dem Pol auffteiget
        des Himmels.

t der Mann, dort ift er, den oft dir verheifsen
        du hörest, 790

Cäfar Auguftus, der Sohn des Vergötterten; wel
des Goldes.

Tage verjüngt ausbreitet in Latium durch die Gei

Einft von Saturnus beherfcht. Jenfeits Garama
und Indern

Dehnt er das Reich; fern liegt felbft aufser den
nen der Erdrand,

795 Aufser des Jahrs und der Sonn' Umlauf, wo
ragende Atlas

Dreht auf der Schulter den Pol, mit brennei
Sternen umheftet.

Seines Herannahns harrt fchon jezt auch die Kas
herfchaft,

Durch Antworten der Götter gefchreckt, und
Land der Mäotis,

Bang' auch ftürmen die Pforten des fiebenftröm
Nilus.

800 Nicht fürwahr der Alcid' hat fo viel Landes umv
delt;

Ob erzfüfsiges Wild er durchbohrete, ob Eryman

Hainen er Ruhe gebracht, ob Lerna gefchreckt
dem Bogen:

Nicht, der dem Joch im Triumf weinlaubige Z
geftrenget,

Liber, herab von des Nyfa Gebirghöhn lenkend
Tiger.

805 Und wir fäumen annoch durch That zu verbre
die Tugend?

Oder es wehret die Furcht im Aufonierlande zu
deln?

Doch wer jener, der fern, im feftlichen Kra
des Ölbaums,

;es trägt? Ich kenne das Haar des romanifchen.
Königs

fein grauendes Kinn; der die werdende Stadt.
mit Gefezen

let, der winzigen Cures entfandt, und der ärm-
lichen Landfchaft,   810

ofsmächtigem Oberbefehl. Ihm wandelt zunächft
dann

;, die Ruh abbrechend, dem Volk, der aus läf-
figer Säumnis

er zu Waffen erregt, und fchon des Triumfes
entwöhnte

ungen führt. Ihm folget, an Geift ehrfüchtiger,
Ankus,

fchon zu gefällig der wankenden Laune des
Schwarmes.   815

du tarquinifche Herfcher auch fehn, und des
rächenden Brutus

Seel', und wieder gewonnene Steckenge-
bunde?

ilgewalt wird jener zuerft und fchrecklicher
Beile

t empfahn, und wenn Krieg fie erneun, wird
die Söhne der Vater

1 zur Strafe daher, für die heilige Sache der
Freiheit.   820

r ach! wie immer fein Thun aufnehmen die
Jüngern;

; der Heimat fiegt, und des Ruhms endlofe
Begierde.

r auch, und Drufer von fern, und den ftrengen
Torquatus

Schau mit dem Beil, und den Bringer verlore
        Fahnen Camillus.

825 Jene dort, die leuchten du fiehft in gleicher Bev
        nung,

Jezt einträchtiges Sinnes annoch, weil Dunkel
        fefthält,

Ha, wie gewaltige Kriege dereinft, wenn zum Lic
        des Lebens

Beide gelangt, wie blutig erregen fie Schlacht
        Ermordung:

Er, von alpifchen Höhn und Monökus Spize,
        Schwäher,

830 Senkend den Zug; und gerüftet mit öftlichem Stre
        der Eidam!

Nicht, o gewöhnt nicht, Knaben, das Herz an
        heftige Kriege!

Nicht in der Heimat Herz fo ftürmifche Kr
        gewendet!

Schone zuerft, du fchone, der ftammt vom hol
        Olympus;

Wirf die Gefchoff' aus der Hand, mein Freu
        licher! . . .

835 Zum Kapitol lenkt jener hinfort, ein Befieger Koi
        thus,

Hoch im Triumf das Gefpann, durch erfchlagene G
        jer verherlicht.

Der ftreckt Argos in Staub, und die hohe Myc
        Agamemnons;

Selbft auch des Äakus Enkel, den Sprofs des peli
        fchen Kämpfers,

Rächend den troifchen Stamm, und entweihete Te
        pel der Pallas.

doch verfchweigt dich, Coffus, und dich, o herlicher Cato?   840

des Gracchus Gefchlecht, und die zween Kriegs-
 donner vom Stamme

b, Libya's Sturz, und Fabricius, mächtig in
 Kleinem?

dich, der die Furche befät, Heerführer Serra-
 nus?

in reifst ihr den Müden, o Fabier? Grofser,
 du bift es,

allein durch Zaudern das Heil uns wieder erneun wird!   845

re giefsen die Erz' als Athmende weicher gerün-
 det,

b' ich wol, fie entziehn feelvollere Bildung dem
 Marmor;

ger kämpft vor dem Richter ihr Wort, und die
 Bahnen des Himmels

hnet genauer ihr Stab, und verkündiget Sternen
 den Aufgang:

follft, Römer, beherfchen des Erdreichs Völker
 mit Obmacht,   850

s fein Künfte für dich!) und Zucht anordnen
 des Friedens,

l dem Ergebenen fein, und matt ihn kämpfen,
 den Trozer.

So Anchifes der Greis; und den Staunenden
 fügt er hinzu noch:

u, wie Marcellus im Glanz der erbeuteten Köni-
 gesrüftung

rit, und fiegprangend emporragt unter den Männern!   855

Der wird Roms Wohlfahrt in dem Sturm des gro
          Tumultes
Halten zu Rofs, und den Pöner zerstreun, und
          Gallier Aufruhr,
Und als Dritter den Raub aufhängen dem V
          Quirinus.
-.. Aber Äneas begann; denn er schauete, dafs
          einherging,
860 Auserwählt an Gestalt und leuchtenden Waffen,
          Jüngling;
Doch unheiter die Stirn, und herdwärts blickend
          Antliz:
-.. Wer, o Vater, doch er, der den wandeln
          Mann da begleitet?
Sohn ihm, oder vielleicht vom grösen Stämme
          Enkel?
Welch ein Geräufch der Begleiter umher! wie vi
          fein Abbild!
865 Doch Nachtdunkel umfchwebt mit traurigem Scha
          das Haupt ihm.
    Drauf Anchifes der Greis, mit des Grams
          quellender Thräne:
O nicht forfche, mein Sohn, der Deinigen gr
          Betrübnis!
Zeigen nur wird das Gefchick dem Erdkreis jei
          und länger
Läfst es ihn nicht! Zu mächtig erfchien wol, ol
          Götter,
870 Euch der romanifche Stamm, wenn daurender di
          Gefchenk war!
Ach wie feufzet der Kamp an der mächtigen V
          des Mavors

vom Männergeſeufz! wie traurigen Zug, Tibe-
: riüus,

ieſt du, wann an dem friſchen Beſtattungshügel
du hinwallſt!

ein anderer Knab' aus iliſchem Stamm erhebet

rr Hofnung das Herz latiniſchen Greifen; und
keines 875

nges freuet ſich je ſo ſtolz die römiſche Herſchaft.

altbiedere Treu nach Frömmigkeit, und unbe-
zwingbar

fender Arm! Nicht wär' ungeſtraft ihm einer
begegnet,

r, umſtralt von Waffen, zu Fuſs andräng' in die
Feinde,

r dem ſchäumenden Roſſ' in die Bug' einbohrte
die Spornen, 880

idswürdiger Knab'; o verſchont dich das rauhe
Verhängnis,

in Marcellus hinfort! — Werft Lilien voll aus
den Händen!

ill purpurne Blumen ihm ſtreun, und der Seele
des Enkels

gſtens dies darbringen zur Gab', ausübend die
eitle

chkeit!— So durchſchweifen ſie rings die untere
Gegend, 885

die umnebelten Felder hindurch, und alles
erſpähn ſie.

ls nunmehr Anchiſes den Sohn durch jedes
geführet,

Und ihm entzündet das Herz in Begier des kommen
    den Ruhmes;
Jezo erklärt er die Kriege dem Mann, die zu führn
    bevorstehn,
890 Auch der laurentifchen Völker Gefchlecht, und die
    Stadt des Latinus;
Und wie meiden er könn' und endigen jegliche
    Arbeit.
  Zwiefach find die Pforten des Schlafs: die hör-
    nene nennt man
Eine, wodurch leichtfchwebend die wahren Erfchei-
    nungen ausgehn;
Weifs die andre und hell aus Elfenbeine geglättet,
895. Doch ihr entfenden zur Luft falfchgaukelnde Träum
    die Manen.
Als hieher Anchifes den Sohn und zugleich die
    Sibylla
Redend geführt, und entfandt aus der elfenbeinen
    Pforte;
Wandelte jener den Weg zu der Flott', und fand
    die Genoffen.
Drauf zum Port der Cajeta enteilet' er grade den
    Querweg.
900 Vorne ruht am Anker der Kiel, und hinten am
    Strandfeil.

Lightning Source UK Ltd.
Milton Keynes UK
UKHW020400081118
331957UK00009B/847/P